朝日新書
Asahi Shinsho 783

コロナと生きる

内田　樹
岩田健太郎

朝日新聞出版

はじめに

神戸大学の岩田健太郎です。

本書は、新型コロナウイルス感染症(COVID-19)をテーマに、3回にわたって内田樹先生とお話しした、その対談をまとめたものです。

一般的に、ぼくは対談が大好きで、対談の企画をいただくとたいていお受けしています。自分からも「こんな対談の企画はどうだろう」と提案することもしばしばあります。これまでにもたくさんの方と貴重なお話をする体験に恵まれてきました。内田先生とも10年以上前でしょうか、ある看護雑誌の企画で対談させていただいたのがご縁でしばしばご一緒するようになりました。うちもすぐ近くですし。

なぜ、対談が好きかと言うと、「他者の言葉」に興味があるからです。「他者」というのは、「自分とは同じようなことを言わない、考えない」人のことです。内田先生のお言葉は（あるいはその著書でも）「そうか、そういう考え方もあったのか」という驚きをしばしばもたらします。なんというか、思考の行き着く距離が長い感じがありまして、「そんな遠くまで届いてしまうのか」と驚かされるのです。あるいは、その距離感すらうまくつかめないまま、「いったい、どのへんの話をされているのだろうか」と首を傾げてしまうこともあります。これは読書中によく体験することでもあります。ぼくは自分の専門外の本を読むのが大好きなのですが（その本は、「他者」だから）例えば内田先生が傾倒されているレヴィナスの本などを読むとしばしば「迷子」になります。

〈一切の現在、一切の再現可能なものに先だつような過去との関係は、他人たちの過ちないし不幸に対する私の責任という異常で、かつ日常的な出来事のうちに内包され

ている〉（E・レヴィナス／合田正人訳『存在の彼方へ』講談社学術文庫）

　こんな文章を最初に読んだときは、それはもう迷走、迷子状態に陥ったものです。しかし、迷子になるのはある種の快感を伴うものでして、それは自分が知悉しているいつもの世界の殻を破る、一種の冒険のようなものなのです。ぼくはセルフ・エスティームが非常に低い人間ですので、自分の小さな世界の枠を常に刷新していきたいと、ついつい考えてしまうのです。

　さて、セルフ・エスティームの低さゆえに（さっきの話とは一見、矛盾するようですが）ぼくは人と会うのがあまり好きではありません。会議とかはとても苦手ですし、宴会も好きではない。接待を受けることもとても苦手です。現在でこそ、依頼の講演はほとんど「Ｚｏｏｍ」になっていますが、去年までは講演依頼はほとんど「日帰り可能なスケジュールで」とお願いしていました。どうしても日帰りが不可能な場合は現地に宿泊するのですが、それでもいわゆる講演後の「情報交換会」（という名の飲み会）は基本的にご遠慮していました。そういうところでにぎやかに場を盛り上げたり、気の利いたパーティージョークを披露したり、目上をヨイショしたり、目下にくどくどと説教をしたりするのがとても苦手なので、現在のように全ての宴会が中止になり、ステイホームが原則になったこの世界を半ば歓迎すらしています（もちろん、歓迎しているのはその部分だけですが）。人と会わないのは、実に楽。

さて、話は変わりますが、アメリカでは科学の粋を極めたレベルの高い話、をするときにしばしば「ロケット・サイエンス」という比喩を用いて説明します。「この理論を理解するには、とくにロケット・サイエンスが必要、というわけじゃないけどね……」という使い方をするのです。つまりは、ロケットの打ち上げに必要な自然科学的知見は、その他の自然科学の知見に比べると格段に高いレベルの知能、知性を必要とする、という意味です。昔は米ソで盛んにロケット開発競争が行われましたが、それは一種の軍事競争であったと同時に「どちらが自然科学界のヘゲモニーを握るのか」の覇権争いでもあったように思います。

しかし、その科学の粋を極めたロケット・サイエンスを駆使しても、やはりロケット事業はときに失敗します。しばしば打ち上げは不慮のアクシデントから延期や中止になりますし、墜落したり、パイロットの死を招くことすらあるのです。

さて、そのような問題が生じたとき、その問題はどのように克服されるのでしょうか。それはやはり、ロケット・サイエンスによって解決、克服されるのです。ロケット・サイエンスの知見を用いて失敗の原因究明、分析がなされ、ロケット・サイエンスの知見を用いて改善策、解決策が提起され、そしてロケット・サイエンスの専門家が問題点を踏まえた、改善策を加味した、新たなプランを策定するのです。

間違っても、経済学者や政治学者や生物学者や、あるいは医者とかが「俺が正しいロケットの打ち上げ方を思いついたぜ」と代替案を提示したりはしないのです。

どのような専門分野にも問題は生じ、失敗は起こります。しかし、その専門領域そのものの内部にある問題は、専門領域が問題を看破し、解決していくほかはないのです。

そこは外的にはどうこうしようがありません。

ロケットの打ち上げが失敗したとき、「俺が正しいロケットの打ち上げを教えてあげよう」という輩がでてこないのは、ロケット・サイエンスのサイエンスたる純粋さ故なのかもしれません。翻って考えてみるに、感染症界のいかに雑然としていることか。たくさんの経済学者、政治学者、生物学者、その他、あれやこれやの専門家や非専門家たちが「俺の考えたコロナ対策」を提示してきます。まあ、これ自体は全世界的な出来事でして、アメリカでもイギリスでもドイツでも、「こうすればコロナ対策はできる」と手をあげてくるアマチュアは雲霞のごとくいるのです。

問題は、そのようなアマチュアなコロナ対策が提案され、専門家の見解が非難されたときに、政府がそれにノッてしまうことです。普通の政府であれば「それは専門マターなので、専門家におまかせしている」と一蹴してくれるのですが。

日本の感染症史においてはこれは決して珍しいことではありません。例えば近いところで言えばＨＰＶワクチン、いわゆる子宮頸がんワクチン定期接種の積極的勧奨が途絶えた事例がありました。ワクチンの有効性と安全性は十分に吟味され、専門的にはＨＰＶワクチン問題は「決着して」いるのですが、政治的にその専門知が共有されないのです。これは日本独特の病理でした。サイエンスがサイエンスとして正しく評価されない。政治的に歪められてしまう。なんど、同じようなヘマを繰り返してきたことか。もっとも、最近ではこれは日本だけの問題ではなくなってきており、例えばアメリカ合衆国とかも同じような反知性主義に突入しようとしています。

ぼくは感染症のプロになる訓練をアメリカで受けました。よって、ぼくをよく知らない人たちは「イワタはアメリカかぶれだ。日本を全否定し、国益を損なうサヨクである」と非難します。ダイヤモンド・プリンセス号の実態を動画で告発したときも、「イワタが日本の恥を海外に伝えた」と非難されました。非難されるべきは、背広の官僚がアウトブレイク真っ只中のクルーズ船に総出で突入してしまう、その素人芸っぷりにあるのですが。

それはともかく、今から20年近く前にぼくが初めて一般向けの本を書いたときにやったのは、9・11以降の炭疽菌バイオテロ事件で米国疾病対策予防センターCDCがどのくらいヘマをやらかしたのか看破し、アメリカの医療制度がいかに理不尽で非人情であるかを指摘したことであるのは、できれば思い出してほしい、覚えていただいてほしいことではあります（それぞれ『バイオテロと医師たち』『悪魔の味方――米国医療の現場から』という本になっています）。

2001年9月11日以降、旅客機の同時多発テロ事件でアメリカは文字通り大混乱に陥り、その後何者かによって郵便物に意図的に炭疽菌をしこんで郵送するという「炭疽菌のバイオテロ」事件が起きました。恐怖したのは郵便局員です。自分たちが手に取り、運んでいる郵便物に致死的な感染症を起こす細菌が入っているかもしれないのだから。しかし、恐れる郵便局員に「炭疽菌は封筒から外に出て飛び散ったりしない。安心しろ」と言ってしまったのがCDCでした。彼らは過去の知見から炭疽菌にはそのような属性がないことを指摘したのですが、テロリストが特殊な操作を加え、炭疽菌を飛散しやすいものに加工していたことには思い至らなかったのです。そのため複数の郵便局員が炭疽に罹患し、そのうち数人は死亡に至りました。そのほとんどは黒人でした。郵便配達は当時、黒人など有色人種の方が担うことが多かったのです。このこともあり、郵便局員たちは（当然）激怒したのです。

アメリカのＣＤＣは無謬の存在などではありません。歴史を通じて間違え続けてきたのです。ＣＤＣの起源は１９４０年代のマラリア対策組織に遡ります。その後、生物兵器関係の情報部員という性格で伝染病センターが誕生し、何十年という歴史の中で数々の成果をあげ、また何度も失敗を重ねて今のＣＤＣに至りました。

そのたびにＣＤＣは学習し、反省し、分析し、改善し、そうやって感染対策のノウハウの質を高めていったのです。そして現在もＣＤＣは学び続けています。「自分たちの専門性や科学の原則を全く理解しようとしない大統領のもとで、自分たちはいかにして自己の専門知が母国にもたらす成果を最大化できるのか」が現在のＣＤＣがかかえる最大のチャレンジと言えるでしょう。

自分たちは絶対に間違えない、という無謬主義はむしろ科学の原則からもっとも遠いイデオロギーです。科学者が何かと取り組むとき、まず考えるべきは「自分たちが間違っている可能性」だからです。この可能性をどこまで網羅的に、徹底的に吟味できるかが、科学者の腕の見せ所だと申し上げても過言ではありません。これは日本政府や厚生労働省ともっとも折り合いのつかないイデオロギー上の齟齬だとぼくは思います。科学者が「自分が間違っている可能性」を徹底的に追求する一方で、政府や厚労省が言いそうなことはいつも「自分たちは適切にやっている」「問題はない」「失敗もない」という無謬主義だからです。

人が間違えないために一番手っ取り早い方法は、「間違いの定義を示さない」ことです。アウトカムが存在しなければ、結果を出したとか、出してないとかは指摘しようがないからです。「勝利」を目標とするスポーツチームであれば、「敗北」は「失敗」と誰にも認識できます。しかし、目標がそもそも存在しなければ、失敗はありえないのです。完璧な無謬主義がここに完成します。

当初「適切にやっていた」と言っていたダイヤモンド・プリンセス号のオペレーショ

ンは、政治家によっていつの間にか「最善を尽くしていた」と言い換えられるようになりました。最善を尽くすのはプロの前提であり、アタリマエのことであり、それは目標ですらありません。そんなフワフワした「最善を尽くす」のが目標であれば、何人感染者が発生してもそれは「間違い」でも「失敗」でもなくなります。

このような無謬主義のもとで新型コロナウイルス感染症対策を行っていれば、何が起きても、どういう結果になろうともそれは失敗ではなくなります。「最善を尽くしていた」と言えばいいのですから。しかし、これは反科学的な態度です。そして、科学的な態度、科学的な専門性だけが、感染症学的な新型コロナウイルス感染症を最適化させる可能性を秘めているのです。

話を戻しましょう。そのような専門知のあり方について、みなさんと概念を共有し得た場合、「他者との対話」がどうあるべきなのか、と。

ロケットの打ち上げ方法に経済学者や政治学者が参入するのはどう考えても滑稽です。

しかし、「ロケット打ち上げにかかるコストや経済効果」「ロケット打ち上げが政治的にもたらす価値」を論ずるのは何の問題もありません。いや、それこそが、彼らが一所懸命論ずるべきトピックと言えましょう。哲学者であれば、「そもそもロケットとはなにか」「人が地球を離れる意味」といった命題ととっくみあうのかもしれません。

ぼくは「こうすればコロナ感染は減る」とか、「こういう人たちがコロナ重症化のハイリスクグループだ」と指摘することができます。また、そのときに門外漢の指南は必要とはしません。競馬のジョッキーが馬の乗り方を指南される必要がないくらいに。

しかし、「そもそも感染症とはなにか」とか「コロナ感染は防ぐ意味があるの？」といった、意味論や価値論についてはぼくの専門性はあまり役に立ちません。むしろ、いろいろな見識をお持ちの方々と対話を重ねて、ぼくたちが共有すべき新型コロナウイルス感染症問題を考え続けるべきだと思います。

考え続けるべきだとは思いますが、地に足のついていないフワフワした議論はあまり好ましくないとも思っています。よく言われる「コロナとの共生」などがそのひとつで、なんとなく自然とうまく折り合いをつけていきましょう、的なイメージは伝わるのですが、いったいその共生とはなんのことなのか、頭の中だけで考えた観念のようにぼくには思えます。なにしろ、ぼくら人間の殆んどは「蚊との共生」とか「ゴキブリとの共生」すら、満足にできないのですから（これが完全にできている女性感染症医をひとり知っています。ぼくが「虫愛づる姫君」と密かに呼んでいる巨人です）。

内田樹先生はいろんな「顔」をお持ちです。そのなかで、思想家ともよく呼称されますが、決して空想家ではないとぼくは考えています。これまでお話を伺っていて、災害を論ずるときも、戦争を論ずるときも、政治や外交を論ずるときも、武道的というのか、あるいは身体的というのか、ぼくにはよい表現が思いつきませんが、いつもそこには一種のリアリティを感じます。ただ、前述のように思考の距離が長すぎて、スケールも大きいのでちょっと油断すると空想と勘違いしやすいだけで。ですから、お話を伺っていても、フワフワした観念論に陥ることが決してありません。重心の低い、安定した対話になっていると思います。ぼくがときどきフワフワしているかもしれませんが。

この「はじめに」を書いているのは2020年8月3日のことです。3回行われた対談のゲラを直していましたが、当時の自分の見解そのものには、基本的に筆を入れることはしませんでした。それぞれのフェーズで、ぼくの中でも少しずつ言っていること、考えていることがずれているのですが、その「ずれ」を読者の皆様にも認識していただき、イワタがどうずれていったのかも追体験、確認していただきたいな、と思ったのです。

内田先生は同時期のツイッターでイワタの「未来予測がほとんど当たっていた」とおっしゃいました。たしかに読み直してみると、それなりに見通しは立ててはいるのですが、見誤っていたところもあります。正直、第二波については日本はもう少しまともな対応をすると思っていました。いろいろしくじるだろうとは思っていましたが、まさか、第一波よりも対応が劣化するとは夢にも思っていなかったのです。病床数やPCR検査数、防護服などが潤沢になったのでその見誤り方が目立ってはいませんが、「事態が悪化している中で、さらに悪化がひどくなるような選択肢を取る」とは思っていませんでした。ぼくの日本政府吟味はけっこう厳しめだと言われることがありますが、むしろ甘々だったのだと、反省せざるをえません。

長々と余計なことばかり書き連ねました。内田先生のコメントを心待ちにされていた皆様、申し訳ございません。お待たせしました。それでは本編です。

岩田健太郎

梅雨明けの神戸にて

コロナと生きる　目次

第2章 葛藤とともに生きる

第3章 偶発性とともに生きる

構成　大越　裕
写真　水野浩志（著者）
　　　朝日新聞社
図版作成　谷口正孝

第1章 リスクとともに生きる

2020年５月14日、凱風館にて

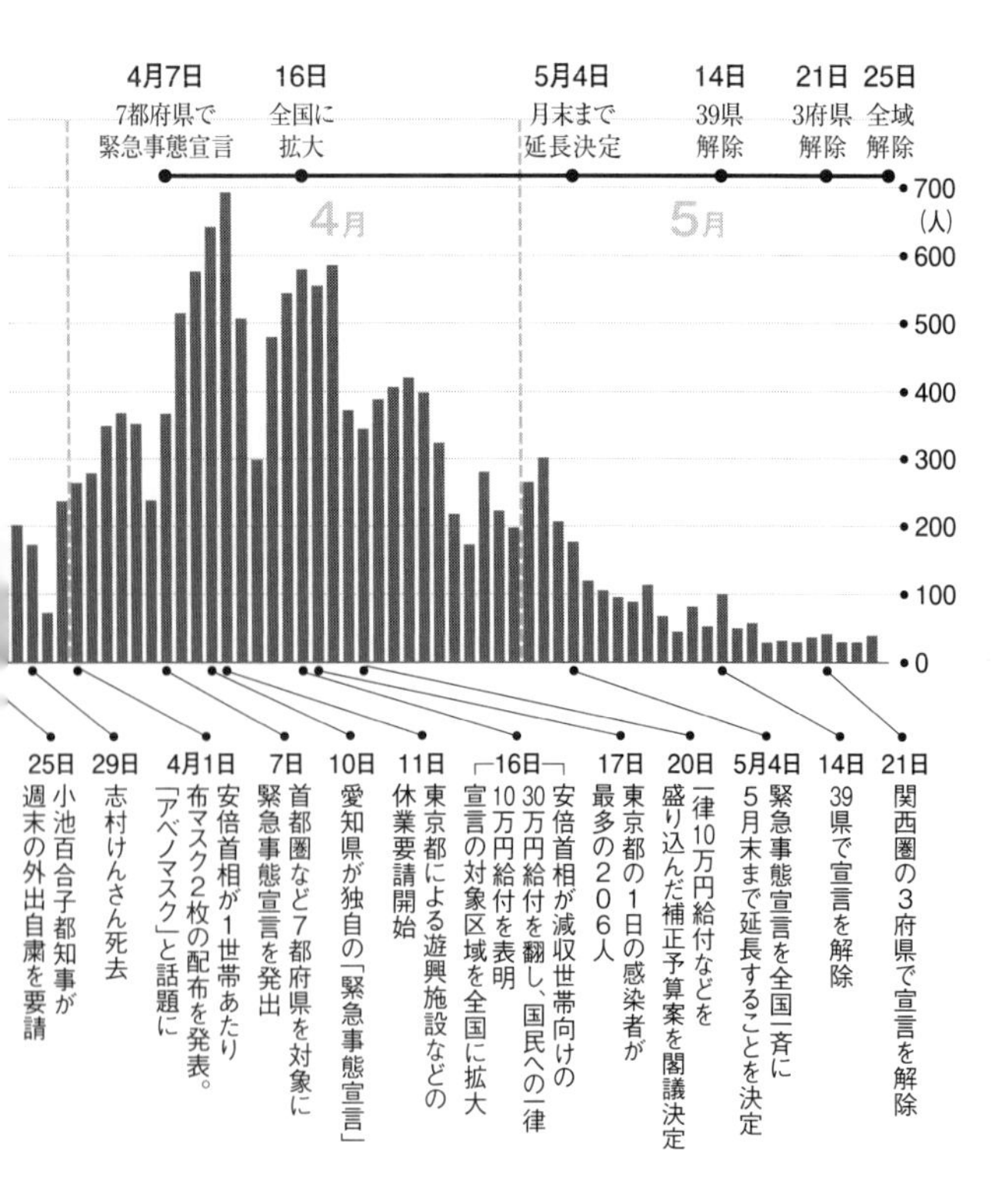

4月7日
7都府県で
緊急事態宣言
16日
全国に
拡大
5月4日
月末まで
延長決定
14日
39県
解除
21日
3府県
解除
25日
全域
解除
700
(人)
600
500
400
300
200
100
0
4月
5月
25日 小池百合子都知事が週末の外出自粛を要請
29日 志村けんさん死去
4月1日 安倍首相が1世帯あたり布マスク2枚の配布を発表。「アベノマスク」と話題に
7日 首都圏など7都府県を対象に緊急事態宣言を発出
10日 愛知県が独自の「緊急事態宣言」
11日 東京都による遊興施設などの休業要請開始
16日 安倍首相が減収世帯向けの30万円給付を翻し、国民への一律10万円給付を表明
宣言の対象区域を全国に拡大
17日 東京都の１日の感染者が最多の２０６人
20日 一律10万円給付などを盛り込んだ補正予算案を閣議決定
5月4日 緊急事態宣言を全国一斉に５月末まで延長することを決定
14日 39県で宣言を解除
21日 関西圏の３府県で宣言を解除

全国の新型コロナウイルス新規感染者の推移と緊急事態宣言などの主な出来事

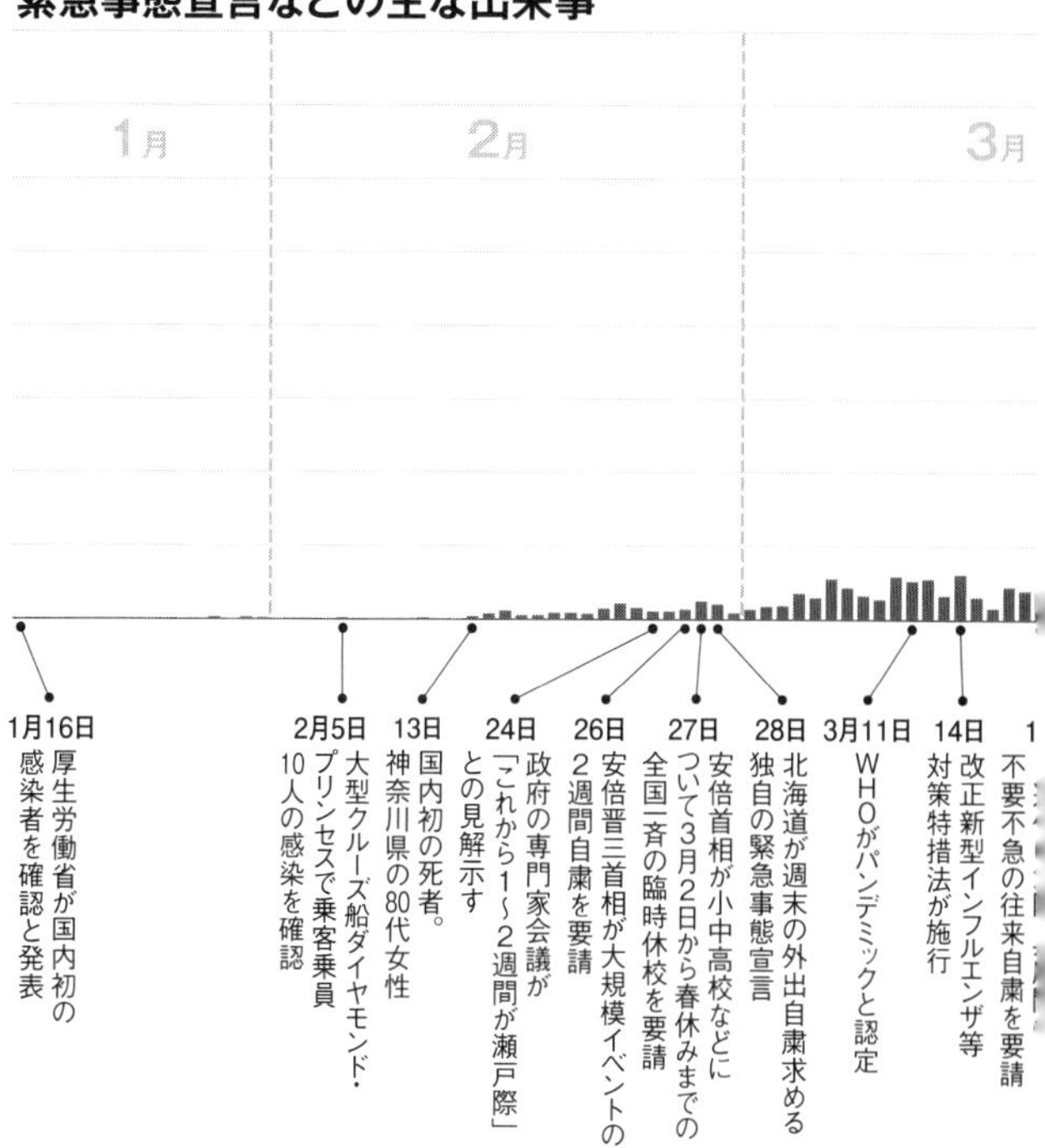

一時は絶望が頭をよぎった

内田　よろしくお願いします。前回、雑誌『AERA』で岩田先生と対談したのは、いつでしたっけ？

岩田　前回は先月、4月3日です。

内田　ということは、もうあれから5週間ほど経ったわけですね。日本の状況もあのときとだいぶ変わりました。

4月7日に7都府県で出されてから全国に拡大した緊急事態宣言が、そろそろ解除されようという局面になっていますが、ここまでの総括と、今後の予測について、岩田先生の見解をお聞かせください。

まず、今回の新型コロナウイルスのパンデミックに対して、うまくいった対応と、うまくいっていない対応とがあると思うんですね。多くの人はそれをごちゃまぜにして、語りやすい切り口からコメントする傾向があるように思います。

それで僕は、三つの視点で岩田先生のご意見を伺いたいと思うんです。

一つは感染症の専門家の立場から、純然たる医療面でのテクニカルなコロナ対策について。

二つ目は、政治の問題。新型コロナで明らかになったのは、国民全員が当事者になる感染症対策では、政治の責任がきわめて大きいことです。自粛の要請、ロックダウンといった大胆な政策をいつ、どのタイミングで実施するかによって、感染制御には大きな影響が出ます。それでうまくいった国もあるし、時機を見誤って感染を拡大させてしまった国もある。僕たちは今回それを目の当たりにしたわけです。そこで岩田先生に、現在までの政策的な対応について、その成功と失敗についての総括をお願いしたい。

三つ目は、メディアの問題です。中国の武漢でコロナウイルスが発見されたのが今年の1月。2月には、集団感染が起きた大型クルーズ船「ダイヤモンド・プリンセス」号の横浜港停泊が報道され、日本でも患者の数が増え始めました。とくに、ダイヤモンド・プリンセス号では岩田先生がＹｏｕＴｕｂｅに上げた映像が日本のみならず世界中のメディアで取り上げられたわけですが、現在までの約4カ月のメディアの報道に対して、岩田先生の忌憚のないご意見を伺いたいと思います。

岩田　わかりました。でも正直に言えば、どのご質問にも一言でお答えするのは難しい、といったところです。というのは、まずこのCOVID-19という感染症の広がり方は、全国的に見ると地域ごとにバラバラだからです。岩手県のようにいまだに一例目も出ていない県から、東京のようにかなりの患者数が出ているところまで、都道府県ごとの違いが大きいんですね。

医療機関の対応についても同様です。日本には何千という病院がありますが、病院によって必要な対応の程度もかなり差があるので、一般論という形でまとめるのはちょっと難しいんです。

なので、僕が勤務する兵庫県神戸市では、という限定で語らせていただきますが……まあ、じつは本当に大変でした。端的に言うとつらかったですね、本当に。もう一時は「ダメなんじゃないか」と、絶望が頭をよぎったぐらいヤバかったです。

内田　そうでしたか。

岩田　ええ。巷(ちまた)では、「医療崩壊なんて起きなかったじゃないか」みたいなことを言う人がいますが、それは病院のリアルな状況を知らない人の話であって、神戸市では崩壊寸前にまで近づいていました。

なぜそんな認識のズレが生じるかというと、すごくしんどい思いをしている病院と、ほぼ平常どおりとか、かえって暇になった病院のギャップが激しいからなんです。だから、医療従事者でも「コロナ？　たいした問題じゃないですよ」と思ってブログとかにそう書いてる人もいました。

大変な病院の状況を話しますと、3月の下旬ぐらいから、だんだん全国的に患者さんが増えてきて、毎日のように新しい患者さんが入院してくるわけです。で、ご存じのように八割ぐらいの方は軽症で勝手に治っちゃいます。しかし二割の方は重症化して、人工呼吸器をつなげて気管内挿管をしないと、息ができなくなる人が出てきます。そしてその一部の方は、亡くなられてしまうわけです。

新型コロナの恐ろしさは「数の病気」であることです。数がワッと増えると、病院があっという間に患者さんで埋め尽くされてしまう。そして一度罹患すると、体内からウイルスはなかなか消えません。軽症者も重症者も回復まで何週間もかかるのが普通で、いったん病棟が埋まってしまうと、患者さんがそこからなかなか減らないんです。

内田　なるほど、「数の病気」ね。

岩田　ニュースでは毎日、「今日は何人検査して、何人陽性でした」と報道されるわけですが、つまり東京で百何十人、神戸市で十何人という数の患者さんが、日毎に純増していくわけです。「17人」と聞くと大したことがない数のように思えますけど、17人の患者がいきなり入院してくることは、病院にとって、ものすごく大きな負荷なんですね。

こうして患者さんがドンドンドンと毎日増えていけば、当然、病院のコロナ以外を診ている科にも負担がかかります。2月以降、神戸市の多くの病院では、外来を縮小したり、コロナ以外の入院患者を断ったり、手術をやめたりしているんです。ICU（集中治療室）もたいへんな状況になっていました。手術後の患者さんは、通常であれば集中治療室に入って術後管理を受けるわけですが、コロナ患者で病室が埋まっている影響で、手術がそもそもできなくなっちゃうわけです。手術が軒並み中止になったのはそういう理由です。

しかし、手術が必要な患者さんを放っておくわけにもいきません。神戸大学病院なんかは、「あの病院はコロナを診ていない」と批判されたりもしたんですが、じつはコロナ以外の重症患者さんたちを受け入れ可能な限り、全部受け入れていたんです。ICUは常に満杯ですし、もう本当にたいへんな状況でした。

一方で、このかん急にものすごく暇になった病院が数多くありました。病院側が、コロナが疑われる患者さんを断ったり、患者さん自身が院内感染を恐れて来院を避けたりした影響で、かつてないぐらい暇になった小規模な病院が日本中にたくさん生まれました。

だから「医療崩壊」と言っても、どの医療機関も平均的にワッと崩壊するわけじゃないんです。ものすごく大変になる医者もいますが、逆にものすごく暇になった医者もいます。手術がなくなった一部の外科の先生は、やることがなくなりフラストレーションが溜まっていましたね。

開業医の先生のなかには患者さんが激減したことで、経営が苦しくなったという方もいました。飲食店と同じですね。そういういろんな形の苦しみを、コロナは医療現場にもたらしたと思います。

とにかく4月初頭の、患者さんがどんどん増えていった時期は、「このままではヤバい」と僕は感じてましたね。コロナに罹った患者さんのほとんどの方は亡くなりませんが、退院もできないんです。これがもしも、エボラみたいに80%ぐらいの死亡率の病気であれば、どんどん患者さんが亡くなってしまうので、逆に病院の医療資源が枯渇するという事態は起こりません。

医療従事者たちにも未知の苦労がたくさんありました。現場に入るたびに医療用マスクにフェイスシールド、防護服を身につけなければならない、そんな重装備で患者さんを診ないといけないという基本的なことも、大きな負担でした。

自分が感染するかもしれない恐怖もありますし、万が一感染したときに、病院や家族に対してどんな風評被害が起こるか想像するだけで怖かった。とにかくいろんなプレッシャーがかかって、医療関係者は心身ともに、本当にヘトヘトになっていました。

意味があった緊急事態宣言

内田　その状況は改善されましたか？

岩田　緊急事態宣言が出て2週間ちょっと経ったぐらいで、ようやく患者さんが減ってきたという感じです。ちょうど先週ぐらいからですかね。うちの奥さんも感染症の医師なんですが、「ようやく一息つけたね」と話してます。なにしろゴールデンウィークの半ばぐらいまでは、医療崩壊まで秒読みでしたから。

内田　患者さんが減ったのは、やはり政府が4月7日に出した緊急事態宣言と、それにともなう不要不急の外出の自粛要請が功を奏したということでしょうか？

岩田　それがよくわかっていないんです。感染症というのは「夜空のお星さま」を見るのと同じで、「今見ることができる姿」というのは、「過去の姿」なんですね。3光年離れている星の光は、3年かかって地球に届いた「3年前の光」です。それと同じように、今日病院に来た10人のコロナの患者さんは、10日〜2週間ぐらい前に感染した人たちなんです。僕たちが毎日目にする**「感染者」の数からは、過去の状況しか読み取れないん**ですね。

前新潟県知事の米山隆一氏の調べによると、緊急事態宣言が出される前から、つまり3月の27、28日ぐらいから、患者さんが減り始めたというデータもあります。感染者の増減や、施策の効果を正確に見極めるためには、ある行動制限に対しての時系列解析などという統計手法をとる必要があるので、現時点ではなんとも言えません。

ただ個人的には、政府の緊急事態宣言はすごく意味があったと思います。日本の場合は諸外国とは違って強制力を持たない「要請」、すなわち〝お願い〟でしたが、実質的には「ロックダウン」になりましたよね。最初はそうでもなかったんですが、明らかに緊急事態宣言が出て2週間が過ぎたあたりから、都市部の人出は極端に減りました。病

2020年4月27日、緊急事態宣言下の東京・浅草の仲見世通り。多くの店が臨時休業して人通りはほとんどなかった。

院が落ち着いたのも、その少し後からです。

内田　平均すると、患者さんはどれぐらいの期間、入院するんですか。

岩田　2〜3週間ですね。いったんコロナに罹患すると、軽症・重症にかかわらずPCR検査が陰性化するまでにはかなりの時間が必要なので。神戸市はじめいろんな都市で、軽症患者専用の収容先としてホテルが確保されたので非常に助かりました。たくさんの患者さんがそこに移ったことで、入院患者が減ったんです。

コロナウイルスに対して有効な治療法は、現段階ではまだ見つかっていません。「これをやれば治る」みたいな対策がないので、入院患者さんに

2020年４月30日、緊急事態宣言下の東京・渋谷のスクランブル交差点。

対しては、悪化しないためのケアをするしかないんです。軽症の患者さんがホテルに収容されるようになって、医療機関の負担はかなり軽減されました。

内田　「医療崩壊寸前まで行ったけど、結局持ちこたえた」、というのが現場にいた岩田先生の評価ということですね。

岩田　そうです。

内田　それは日本中、東京や大阪に対しても、だいたい同様の評価でよいと思われますか。

岩田　東京は一番きつかったと思いますね。今はだいぶ楽になっているはずです。東京は一気にものすごく患者さんが増えましたから。やはり宿泊施設を活用して、軽症患者さんを動かすことで一応持ちこたえたという印象です。現在は、東京の病院もだいぶ楽になったと思います。

医療従事者にとっても新型コロナのパンデミックは初めての経験ですから、対応に不慣れな面もかなりありました。また院内感染が起きるととても大変なので、「絶対にそれを起こさない」という緊張感がどこの病院にもあったと思います。

ゼロにできない院内感染

内田 院内感染というのは、やはりかなり大変なことなんですか?

岩田 もちろんです。院内感染が起きると濃厚接触のあったスタッフたちは全員自宅待機になります。実際に神戸の中央市民病院なんかは、300人以上の方が自宅で健康観察措置になってしまったわけです。

内田 医療従事者が、ですか。

岩田 そうです。医療者が300人いなくなるというのは巨大な損失です。患者は増え続けるのに、医療従事者は減るという事態で最悪なわけです。

内田　そうすると医療崩壊を引き起こす最大の原因は院内感染ということですか？

岩田　院内感染と患者の増加の両方ですね。患者が増加すると院内感染が起きやすくなりますので、相乗的なダブルパンチなんです。

内田　院内感染はどういうきっかけで起こるんでしょう？　「院内感染」という文字列そのものはよく見かけるのですけれども、実際にどうやって起きるのかは僕らにはうまく想像がつきません。防護服の着脱とかそういうタイミングで起きるのですか？

岩田　いろんな理由で起きます。とくにコロナが難しいのは、感染のタイミングがわからないところなんです。普通は院内感染を防ぐには、患者さんと医療者の線引きを明確にして、「ここからは感染者を入れない」というようにゾーニング（区分け）をします。しかしすでに神戸市内にもけっこうな量のコロナウイルスが出回っていると考えられるので、看護師さんがどこか別の、例えば三ノ宮駅とかでもらっちゃう可能性があるわけですね。

するところ院内でゾーニングをいくら一生懸命頑張ったとしても、看護師さんの休憩所とかでワーッとウイルスが回っちゃったりするんです。中世に大流行して世界中で何億人も死んだペストのときは、ヨーロッパでは城壁をつくって、感染者が町の中心に入ってこないように物理的にブロックしたわけです。ところが城壁の中に感染者が一人でも入ってしまうとまったく無防備な人たちの間にペスト菌がワーッと広がっちゃうわけです。コロナの院内感染も、そんな感じで起こっています。

内田　医療従事者が街でウイルスを拾ってきたら、安全なゾーンにいても、ブロックしようがない、と。患者から直接感染する場合もありますか？

岩田　患者から感染するケースもよくあります。よく「防護服を着てれば大丈夫だろう」と思われがちなんですけど、じつは防護服を脱ぐときに、顎をちょっと触っちゃったりとか、マスクを取るときに耳を触っちゃったりして、そこについたウイルスで感染することがあります。ウイルスは目に見えないので、ちょっとした接触が感染のきっかけになるのですが、それにはまったく気づかない。食べ物をこぼすとか、雨で濡れるとかのような手触り感のある汚染のイメージがありません。防護服を着脱するルールを定めていても、全員が毎回きっちり守ると想定するのは非現実的なことでもあります。夜中の2時頃に患者さんが急変したりすると、つい焦って防護服の着脱が雑になって、そこでウイルスに触れてしまうなんてことも起こり得ます。

とくにコロナみたいに症状が出にくいウイルスは、感染しても最初のうち、みんな元気なんです。中央市民病院の看護師さんなど、職員が何十人か感染しましたけど、そのうち半分以上はまったく症状がない元気な人でした。そういう人がウイルスを他に広める可能性があるので、正直言って防ぎようがないんです。院内感染は兵庫だけでなく東京でも起きましたし、日本の数多くの病院で発生しています。ゼロにするのはほぼ不可能だと考えています。

内田　なるほど。

岩田　で、一度院内感染が起こると、さっき言ったように医療機関の戦力が大幅にダウンします。病院の機能が落ちても、その地域の患者さんがいなくなるわけじゃないので、周りの病院が全部肩代わりしなけりゃいけません。今、神戸日赤病院でも院内感染が起きて全体の機能がガタ落ちしていますが、日赤が得意としていた救急医療のすべてを神戸大学病院や、周りのほかの病院が肩代わりしている状況です。

そんなふうにドミノ倒しのように**悪影響が拡散していくのが、コロナの本当の恐ろしさです**。それがあるレベルを超えると、もう手のつけようがありません。アメリカのニューヨークで起きている事態がまさにそれで、夥しい数の死亡者が出ています。

内田 ニューヨークも最悪の時期は抜け出したようですけど。

岩田 死亡者数は少し減りつつありますね。でも、米国ではすでに死亡者が八万人以上出ていて、これは第一次世界大戦とかベトナム戦争におけるアメリカ人の死者数を上回っていまして、まさに歴史的な事態だと思いますね。

空気にコントロールされた自粛

内田 ここまでのお話で、医療現場におけるテクニカルな問題についての総括はよく理解できました。続いて、政策についてはどうでしょうか。

岩田　政策についていては、偶然の結果ですけれど、これまでのところはけっこううまく行っていると思います。じつは最初の頃は、「これは厳しくなるかもな」と不安がありました。とくに緊急事態宣言を出したとき、安倍首相が「これはロックダウンではありません」と言ったときは「わざわざそういうこと言っちゃダメでしょう！」と思ったんです。外出を制限して、人同士の交流を遮断することが感染対策の基本中の基本なので。

でも結局、日本人みんな示し合わせたように自粛モードになって、事実上のロックダウンになりましたよね。日本という国はやはり良くも悪くも、「空気」を醸成することが大切なんだな、と感じました。

当初自粛要請に従わなかったパチンコ店なんかも、みんなからワーワー自粛しろとプレッシャーをかけられたら、軒並み休業することになりましたよね。緊急事態宣言が出て2週間ちょっとすると、目に見えて外を出歩く人が減りました。人が減ると確実に感染は減るので、結果的にうまくいったと感じています。

でも逆もまた真なりでして、「もう大丈夫じゃないか?」みたいな空気が醸成されると、今度はいっきに街に人が出始めて、感染が増えていくはずです。僕は多分、再来週あたりから、東京の感染者数がまた増えていくと予想してるんです。

内田 そうですか……。

岩田 ええ、こうして当分、自粛と緩みの繰り返しが続くんじゃないでしょうか。政治家の皆さんがそれを意図してやっているかどうかは知りませんけど。

内田 政治家たちは何らかの客観的基準に基づいて政治的決断を下したわけではなく、日本国民の「周りの空気に流される」という国民性を利用して、「空気でコントロール」したということですね。

岩田 「自粛を要請」というのがすでに語義的に矛盾なんですけどね(笑)。「自分から自律的に外出をやめなさい」と他人が要請するって、ヘンですよね。

内田 緊急事態宣言後には、「自粛自警団」と呼ばれる人たちが出てきて、自粛要請に従わない店舗や人々を陰湿に攻撃するなんてこともあちこちで起こりました。ああいう

「隣組」的なマインドって、僕は大嫌いなんですけれど、あのタイプの人は外国にもいるものなんですか?

岩田　いますよ、外国にも。他罰的な集団というのはどこの国にもいて、特にヨーロッパは多いかもしれません。最近はそうでもないようですが、コロナ流行の初期には「感染を広めた奴らだ」とアジア人へのバッシングがかなり激しくて、ヨーロッパでは日本人が歩いてるだけで中国人と間違われて、怒られたり嫌がらせを受けたりしました。クライシスのときに他罰的になったり、他人に不寛容になる人々が国民の中に一定数いるのは、世界的に共通してますね。

内田　三番目の質問ですけれど、このかんのメディアの報道については、どう感じておられますか。

岩田　いや、じつは僕、テレビ観てないんです。「ワイドショーがけしからん」とか、メディアに対する批判がすごく大きいらしい、というのはソーシャルメディアで伝え聞いてはいるんですけど。

内田　そうですか。僕もテレビ全然観ない人なので（笑）、何が問題になっているのか、わからないんです。

岩田　ワイドショーも見てないので、何がどうけしからんのか、じつはよくわかってません。ただ僕は毎朝、ＮＨＫのラジオニュースを聞いていまして、「今日は全国で何人感染者が出ました」「東京では何人出ました」という数字だけ報道して、そのデータが指し示す意味を述べないことが、いささか問題だと感じています。

ダイヤモンド・プリンセスのときも同じでしたね。ＰＣＲ検査の結果、何例が陽性になりましたと言うだけで、結局、ダイヤモンド・プリンセス号の対策がうまくいっているのか、破綻（はたん）しているのか、解釈がまったくなかった。日本の報道は大体そうですが、ニュースを最後まで聞いても、結局どういう評価なのか意味不明なことが多いんです。

僕は毎朝、近所をジョギングしているんですが、そのときはＢＢＣのニュースを聞きながら走ってます。ＢＢＣは、例えば中東のレバノンでコロナが発生したら、経済的にはこういう影響があって、今後の感染者はこんなふうに推移するだろうというような、番組としての解説が必ず入ります。

しかし日本のテレビニュースは、聞いても謎が深まるばかりで、何を視聴者に伝えたいのかよくわからない。新聞や雑誌はさまざまですが、概して感じるのは、「コトの評価」ではなく、「人の評価」が多いということです。コロナに関しても「この人はいい」とか「この人は悪い」みたいな印象論が多くて、その人物が何を主張しているかという事実に焦点を合わせた記事が少ない気がします。

PCRのナンセンスな議論

内田　ＰＣＲ検査に関しても議論百出です。「もっと検査数を増やせ」という人もいれば、「増やさなくてもいい」という人もいて、専門家たちの意見が分かれているので、僕ら素人はどう判断してよいかわからない。どういうふうに考えたらいいのか、これはぜひ岩田先生にお聞きしたいと思います。

岩田　あ、ＰＣＲ検査については何回も聞かれるんですが、「やったほうがいいですか?」という質問は、完全にナンセンスだと思ってます。

内田 どうしてですか?

岩田 スポーツに喩(たと)えるとわかりやすいんですが……、例えばボクシングの試合が今日、ありました。ある選手が左のパンチを1ラウンドに50回、出しました。その50回は多過ぎるか、少な過ぎるか、どう判断しますか? と聞かれるのと一緒なんです。

内田 なるほど。回数自体には意味がないですね。

岩田 そう、意味がない質問なんです。その試合はどんな相手だったか、劣勢だったか優勢だったか、左が利いてたのか、右のほうが有効だったのか。そういうさまざまな要素によって、左のパンチ50回という数字に意味が出てくるわけで、一律に判断はできないですよね。それと同じです。

PCR検査も、患者の広がりによって、どれぐらいの規模でやるべきか変わるんです。ある地域に感染が疑われる人が1万人いたら1万回以上の検査が必要かもしれませんが、5人ぐらいしかいなかったら1万回検査するのは明らかに無駄打ちです。だから、PC

R検査が多過ぎか、少な過ぎか、という議論は概ねナンセンスなんです。

実際に日本はどうだったかというと、3月ぐらいまでは妥当な規模でPCR検査を行っていたと思います。3月というのは、東京の屋形船、和歌山の病院、北海道のライブバー、姫路の精神科病院や北播磨の医療機関、伊丹のデイケアなどで連続的にクラスターが発生した時期です。患者が見つかって、その濃厚接触者を割り出し、クラスターを追いかけるというモードのときは、PCR検査を必要な人々にやる意味があります。

じつはこの作業、日本は得意なんですよ。昔から保健所は、結核の保菌者を追いかけるために、濃厚接触者の追跡をずっとやってたからです。保健師さんたちが一生懸命に電話をかけたりファックスを送ったりして、感染ルートを地道に割り出していくわけですが、そういう地味な仕事は日本人って得意ですよね（笑）。

内田　確かに。

岩田　そういう伝統的なやり方がずっと残っていて、今回のコロナの初期段階でもそれで対応できていました。ところが患者さんがどんどん増えだして、この足で追っかける泥臭いやり方がまったく通用しなくなったんです。そうなったらもう、クラスター追跡は役に立ちにくい。

一番典型的なのは東京です。10人検査して1人陽性結果が出るぐらいであれば、PCRをやる意味はあると思います。ところが東京で一番ひどかった時期は、10人検査するとそのうち4人とか5人が陽性になっていた。この割合からは、検査をしていない人のなかにも大量の感染者がいるということが推察されます。3月下旬ぐらいの東京は、PCR検査の数が実際の感染者に明らかに追いついていなかった。感染者数も全然把握できてないし、東京で何が起きているのか、誰にも見えていない状況でした。

一方、同じ時期の島根県とか岩手県では、まったく感染者が出ていなかった。大阪や神戸も患者がいたとはいえ、医療者が状況を把握できていないという事態には、なっていませんでした。それぐらい各地域でシチュエーションが違うなかで、全国一律でPCR検査の必要性を議論すること自体が、ナンセンスなんです。

抗体検査が示した事実

内田　関連して、この3月末から4月の最初にかけて、岩田先生は神戸の中央市民病院にコロナ以外の病気で来られた患者さん1000人を対象に、抗体検査をされたそうですね。

岩田　はい、1000人の患者さんに抗体検査を実施したところ、33人が陽性で新型コロナウイルスに対する抗体を持っていました。割合でいうと3・3%ですね。

内田　「3・3%が抗体を持っている」ということは、どのように理解すればいいのでしょう?

岩田　1000人のサンプリング数だと母集団の推計、つまり信頼区間と呼ばれる「幅」を出してやる必要があります。信頼区間はとても大事なのですが、メディアでこの数字が出ることはほとんどありませんね。で、この信頼区間を加味すると、ざっくり言えば、神戸市に約150万の人がいるので、1〜4%ぐらいの人がコロナにすでに感染している可能性がある、ということです。1％だと1・5万人。4％だと6万人だから、神戸市内だけで1・5万人から6万人ぐらいの人がすでにコロナに罹り、そのうち多くの人は無症状で治っていた、という計算になるのです。

1・5万人と6万人ではだいぶ大きな開きがありますが、じつは大した問題じゃないんです。なぜなら僕らの調査は3月31日から4月7日までの期間でしたが、その時点で神戸市がPCRで見つけたCOVID-19の患者さんは、累計でたった69人だったからです。

「現在までに神戸市のコロナの患者は69人です」と公式発表しているのに、「1万人から6万人の感染者がいたんじゃないの？」という推測が成り立つわけで、「69人なんて数ではあり得ない」というのがポイントです。

戦地で戦うときに、敵の兵士が69人だと思ってたら、じつは万の単位の敵でした、となったらぜんぜん話が違いますよね。要するに、表に出てきてないだけで、めっちゃたくさんコロナの罹患者はいるだろうということです。PCR検査があまり行われなかった日本において、抗体検査はこういう「ざっくり」な規模を計算するのにはそれなりに有用だと思います。

内田　その1万人から6万人の方たちは、大方はもう治っているんですか？

岩田　検査時点でほとんどの方は治っていると思いますが、はっきりと断定はできません。なぜなら僕らの調査では、個人情報を完全に消して匿名化して調べたからです。誰が陽性だったか特定できてしまったら、大パニックが起きるのが確実ですからね。30代の女性か50代の男性か、ぐらいまではわかるんですけど、それ以上の情報は一切消した状態で血清の検体を集めて、分析しました。

内田　しかし4月7日の時点で、神戸市だけでも1万人から6万人ぐらいの感染者がいたというのは驚きですね。

岩田　あくまで累計ですので、その大部分の人は治っています。いま現在の神戸市を歩いている人のうち、何万人も感染者がいるというわけではありませんので（笑）、解釈にご注意ください。

内田　そのうち何%ぐらいの人が現在も発症していて、感染力のある患者であるかということはわからないんですか？

岩田　それはわからないですね。それを調べるには、また別の研究調査が必要になるので。

内田　専門家の感覚としてどうでしょう。概数でもけっこうです。

岩田　まあ端的にいうと、かなり少ないでしょうね。

内田　そうですか。

岩田　数月分の累計で数万人なので、現時点で神戸市内の感染経験者は、10万人は超えていないと思います。ある人がツイッターで「日本政府は情報を隠してて、もう本当は都市部は感染者だらけなんだ」と呟いてましたが、今は患者さんもだいぶ減ったので、おそらく感染者は1%よりもずっと少ないと考えるべきでしょう。

　1%よりもずっと少ない、ということは、そこらへんの100人のうち1人も感染者がいない可能性が高い、という意味なので、道を歩いていて感染するリスクは、神戸市では非常に低いことは容易に推察できます。そう考えると、町の歩き方やマスクに対する考え方もずいぶん変わってきますよね。しかし、こういう環境下で500人規模の集会やコンサートを開けば、そこからまた感染が広がるということも十分あり得ますから、油断は禁物です。

内田　肺炎や他の病気で亡くなったとされている方が、実際にはコロナで亡くなっていてカウントされていない、といったケースはありますか？

岩田　まず医療現場の立場で言うと、意図的にコロナで亡くなった方の数を隠すのは不可能です。戦国時代じゃないので、山に埋めて隠すことなんてできませんからね。加えて、実際はコロナで亡くなった方の死因を別の肺炎と診断する確率も、極めて低いと思います。現場の医師にはわざわざ死因を隠すインセンティブがありませんから。

しかし、亡くなった方が肺炎を患っていることに気づかないことはあり得ます。例えば心肺停止を起こした患者さんの家族が救急車を呼んで、病院に運ばれたとします。蘇生措置をしましたが、残念ながらお亡くなりになったとします。実際、そういうケースはよくありますが、そのご遺体に対してコロナの検査をするかというと、普通しないです。死んでしまった方にわざわざ肺炎の検査はしないので、そういう人はいっぱいいると思われます。

そこで僕は今、コロナの正確な死者数を把握するために、そういう患者さんに対してPCR検査を全部やれないか、という提案をしています。日本は今日現在で、公式では六百数十人がコロナによって亡くなったと言われています。これは世界的にはものすごく少ない数です。だから世界中の医者や研究者たちが、「なんで日本はこんなに死亡者が少ないんだ?」という疑問を抱いていて、しかもそれに対する妥当な答えが今のところ見つかっていない。ですから、それに答えるためには正確なデータが必要で、亡くなられた方を全員PCR検査すれば、日本は本当に死者が少ないのか、検証できる。基本的に僕は医療に関して「立場」というのを持たないようにしています。わからないことがあれば、とにかく調べる。日本に本当に死亡者数が少ないかどうかも、まず調べてみないとどうにも断言できないと思っています。

第2波に備えてCDCを

内田　次に、これから後、事態がどのように変化していくかの予測をお聞きしたいと思います。岩田先生が想定されるいくつかのシナリオについて、楽観的なシナリオから、悲観的シナリオまで、教えていただけますか。

岩田　わかりました。個人的には、あまりいいシナリオは予想していません。さっき、神戸市では4月の段階で、ざっくり数万人レベルがコロナウイルスに感染していた可能性があると僕は言いましたが、裏を返すと、残りの百四十何万人の人は感染しておらず、「まだまだ感染が広がる余地がある」ということを意味します。

それはつまり、コロナ対策でよく言われる「集団免疫を国民の間で構築する」というスキームの実現が、相当先の未来になることを示唆しています。集団免疫というのはだいたい国民の6、7割の人が免疫を持つことが前提になるので、何年も先に実現するか、はたまた超巨大な感染がドンと一気に起きるかのどちらかしかないんですね。で、どちらになったとしても、かなりの痛みを伴うことは間違いありません。だから僕は、**集団免疫というスキームは現実的ではない**と考えています。

現実に一番起こりうるシナリオは、第2波、第3波……と、コロナの感染の波がしばらく続くことです。今、第1波と呼ばれる最初の流行が収まりつつあります。おそらく2週間以内に、47都道府県のすべてで緊急事態宣言が解除になるでしょう。しかし多分、そう日を置かずに東京でまたぶり返しの流行が来るはずです。僕の予想では、あと2週間ぐらいだと思っています。

そのとき東京は、また緊急事態宣言を出すか、出さずにやり過ごすか、決めなきゃいけません。飲食店や娯楽施設に対して休業を要請することになれば、また大きな議論が巻き起こるでしょう。そんなふうに行ったり来たりを延々と繰り返していくことになる、というのが僕の予想するシナリオです。

いうなれば、経済へのダメージがボディブローのように続くとともに、不眠不休で頑張っている医療関係者の疲労も蓄積されていく。そうして日本全体がヘロヘロに弱っていく、という未来です。

内田　あまり明るいシナリオではないですね。

岩田　僕が今一番危惧しているのは、日本政府が今の状況だけを見て、「日本はうまくコロナを切り抜けた」という話に持っていくことです。昔から厚労省って、成功物語をでっちあげるところがあるんですね。実際には医療現場の奮闘で、ギリギリの状態でなんとか持ちこたえた、というのが我々の実感です。

それが「日本はうまくいったから、このままでいい」となったら、次の波に耐えられない可能性がある。だからこそ、気を抜かずに第2波に備えた体制作りを、今すぐ始めないといけないんです。

「日本にもCDCを作るべきだ」と、僕はずっと主張し続けています。今回のコロナでその考えがさらに確信になったところです。ＣＤＣとは「Centers for Disease Control and Prevention」の略で、米国疾病管理予防センターのこと。それの日本版を作るんです。できるだけ早くＣＤＣを国内に作り、厚労省からそちらに権力を移譲して、重要事項の決定を専門家ができるようにしたほうがいい。……厚労省の官僚たちもじつはヘロヘロなんですよね。あの人たちも徹夜続きで、必死になってコロナ対策を続けているわけですが、これ以上長持ちしないと思います。

日本って、これまでの感染症に関してはラッキーな国だったんですよ。２００２〜03年のＳＡＲＳ（重症急性呼吸器症候群）コロナウイルスのときは、結局国内に感染者が入ってこないままで終わっちゃったし（実際には入国していたようだが、この話は長いので、割愛）、２００９年の新型インフルエンザのときも重症化しにくく、大きな問題にならなかった。

その一方、韓国は２０１５年にＭＥＲＳ（中東呼吸器症候群）コロナウイルスで、２００人近くの感染者が出て、かなり痛い目に遭っていますし、中国もＳＡＲＳの大流行に遭ったので、両国ともにＣＤＣに当たる機関を国内で一生懸命整備したんですね。日本はまだ感染症の失敗経験が一度もないから、ＣＤＣの必要性、そして必然性をわかってないんだと思います。

コロナが晒した新自由主義の限界

内田　ＣＤＣを立ち上げるとしたら、どれぐらいの準備期間が必要なんですか。

岩田　作るだけなら、すぐできると思います。

内田　今の厚労省が持っている権限を、ＣＤＣに移譲するわけですよね。

岩田　そうです。大事なのは、スタッフを役人ではなく完全に感染症のプロフェッショナルにすることです。ヨーロッパでもアメリカでも韓国でも中国でもＣＤＣはそうしていますが、役所からプロに権力移譲をしないといけません。

これに対し、厚労省は絶対に抵抗すると思うんです。彼らはどんなに忙しくても、権限移譲するのをものすごく嫌がるので。しんどいなら他の人に仕事を渡せばいいのにと思うんですけど、なぜか拒否するんですね。そもそも厚生省と労働省をくっつけるという時点で無理筋なんですが、そこまで仕事を増やして何が楽しいのか、よくわからないです。

内田　ほんとにそうですね。

岩田　次に危惧しているのは、「じゃあ日本でもCDCを作ろう」って話になって、実際できてみたら、スタッフは天下りの役人だらけだったというシナリオです（笑）。厚労省がスライドしてきただけの〝形だけCDC〟で、実態は「第二厚労省」みたいなのができるというのもあり得ます。

内田　保健所を増やすという選択肢もあるんでしょうか。

岩田　あると思います。これまで日本はずっと医療の効率化を進めてきて、保健所の数を減らし、病院も減らし、「医者は余ってる」と言って医療者の数もどんどんカットしてきました。

前々からギリギリの綱渡りでやってきたのに、そこにドンとコロナがやってきて、「もう限界だ」という話になっているわけです。しかし今から医療資源を増やそうとすると、おそらく財務省がかなり抵抗するでしょう。財務省は「医療費が高くなり過ぎて国が滅びる」みたいな医療亡国論を、それこそ昭和の時代からずっと言い続けてきたので、ＣＤＣの設立にも難色を示すと思われます。

内田　医療費の増加は、ここ20年ぐらい日本が抱える財政上の最大の問題とされてきました。国家財政を逼迫（ひっぱく）させているのは医療費である、だから医療費削減を達成することが焦眉（しょうび）の課題なんだと、政府も経済評論家も口を揃えて言い続けてきた。その結果、岩田先生のおっしゃるとおり、病床数を減らし、保健所を減らし、医薬品や医療器材の備蓄を減らすことになった。そうやって医療体制が十分に脆弱になったところに、今回のコロナのパンデミックが到来した。どう考えても医療費を削減させながら感染症に対応することはできません。

岩田　そうですね。

内田　国民の健康という点では何のプラスももたらさないはずの医療費削減政策がさしたる国民的な抵抗もなしにこれまですらすらと通って来たのは、新自由主義的な「医療とは商品である」という発想が国民の間に浸み込んでいたからなんじゃないかと僕は思います。医療は市場で金を出して買う商品である。だから、金があれば良質の医療を受けることができるけれど、金がなければ身の丈にあった医療しか受けることができない。不動産や自動車と同じで。そういうふうに考える人がいつの間にか多数派を占めるようになった。だから、「すべての国民が等しく良質の医療を受ける権利がある」と考える人は、今はむしろ少数派になったんじゃないでしょうか。

金のある人、あるいは社会的有用性の高い人、生産性の高い人は医療を受ける権利があるが、そうでない人の治療のために公金を投じるべきではない。ちゃんとした治療を受けられないのは当人の自己責任だ、という冷たい考え方をする人がほんとうに増えた。一般の疾病でしたら、そういう理屈も通るかもしれませんけれど、感染症にはこれを適用することができない。医療を受けられない人たちが感染源となっていつまでも社会のなかにとどまる限り、感染症は永遠に制御不能だからです。

岩田　まさにアメリカはそのせいで無保険の人々が大量に生まれ、所得が低い人は医療サービスを受けられなくなりました。

内田　アメリカには今、無保険者が2750万人いるそうです。この人たちは病気になってもまともな医療を受けることができない。それで重症化しても、死んでも、「自己責任」でこれまでは済んだかもしれません。でも、感染症ではそうはゆかない。貧しくて治療を受けられない人たちがコロナウイルスに感染して、感染源を形成することになれば、感染症はいつまでも終息しないからです。

「自己責任で医療を受けろ」というルールを押し通せば、社会機能が止まったままになる。**感染症は「すべての国民が等しく良質な医療を受ける権利がある」という原理を採用しないと制御不能**です。でも、アメリカは「医療は商品である。金がないやつは医療を受けられなくても文句を言うな」という原理でこれまで押し通してきたので、急には方向転換できない。だから未だに感染症拡大を制御できないでいる。これまでの考え方を棄てないと、アメリカのパンデミックは収束しないと思います。

岩田　まさに同感です。

内田　日本の医療費削減のロジックも、アメリカと同じく新自由主義的な発想です。医療行為や医薬品をすべて「マーケットで売り買いされる商品」として扱うようになってきた。だから、「命の選別」という話になったときに、「社会的有用性の多寡」を比較しようというような発言が出てくる。「医療資源は強者に優先配分すべきである」というのは「医療は商品だ」ということの言い換えに過ぎません。でも、そうやって社会的弱者から医療機会を奪ってみても、それはただ公衆衛生的環境を悪化させることにしかならない。

「医療は商品である」という原理そのものの無効性を今回のコロナ・パンデミックははっきり可視化したと思うんです。医療に関しては新自由主義的な発想は適用できないということがよくわかった。それはたぶん他の領域についても同じだと思うんです。グローバル資本主義は「必要なものは、必要なときに、必要なだけ、市場で調達することができる」ということを不可疑の前提に組み上げられたシステムですけれど、今回の各国の医療資源の奪い合いで、いくら必要でも市場で調達できないものがあるという当たり前のことを人々は思い知らされた。ジャストインタイム生産方式とか、「在庫ゼロ」とかいうのがいかに机上の空論に過ぎないか、思い知らされた。医療資源の戦略的備蓄が十分であれば、感染症を早い段階で抑え込むことができる。一方、医療資源を「在庫ゼロ」にして「コストカットができた」と喜んでいると、簡単に医療崩壊が起きる。それで経済が停止したら、「コストカット」で浮いた分なんか一瞬で吹き飛んでしまう。それくらいの損得の算盤（そろばん）は誰でも弾（はじ）けるはずなんです。

新しいウイルスによる感染症はこれからも数年おきに必ず起こります。ウイルスから社会を守ろうと思ったら、「医療は商品ではない。すべての人は等しく良質の医療を受ける権利がある」という原理を「世界の常識」として採択するしかない。アメリカの現状を見れば、誰でもそう考えるはずです。

強硬トランプ、切実ジョンソン

岩田　基本的に僕も内田先生と同じ考えですが、アメリカはトランプ大統領が「失敗してない」って言い張ってますからね（笑）。これで一気に変わるかどうかは、わからないのが正直なところです。

内田　僕はアメリカの医療現場のことは知らないんですけれど、3千万人近い無保険者の人たちというのは、病気になったときにどうしているんですか？　まったく受けられないということはないですよね？

岩田　いやもうあの国は、保険がなければ救急車すら呼べないですからね。救急車呼ぶのに無保険だと、日本円に換算して数十万も請求されるんです（居住地や移動距離、もっている病気などにより変動するらしい）。実際にコロナに罹った人が街で倒れたのに救急車が呼べず、放置されて感染を広げてしまったケースもありました。

結局コロナに関しては議会で問題になって、無保険の人たちもちゃんと助けてあげようって話になりました。でも制度が決まったときにはもう時すでに遅しで、感染が蔓延してしまったんです。内田先生がおっしゃるように「貧乏人はほっとけばいい」という姿勢を国が続けると、感染症が起こったときに国民みんなが倒れちゃうんですね。

アメリカ型の新自由主義に基づく医療と、感染症のパンデミックは、非常に相性が悪いことが今回世界中の人に思い知らされたのは確かです。イタリアもコロナでとても痛い目に遭ってますが、やはりその背景には近年の同国における医療の効率化がありました。おそらく今後、ヨーロッパでは多くの国が医療制度について再考を始めるはずです。

内田　実際にイギリスでは、ボリス・ジョンソン首相が退院した後に、国民健康保険であるNHS（National Health Service）の効用をほめたたえていましたね。

岩田　はい。あれにはかなり驚きました（笑）。

内田　サッチャーの時代から、イギリス保守党はNHSを目の敵にして、ずっと潰しにかかってきましたからね。ところがジョンソン首相は、自分がコロナに罹ってお世話になったら、急に手のひらを返したように、「NHSのおかげです」と言い始めた（笑）。

岩田　いや〜、あれを見て僕は、「日本の政治家も一回はコロナに罹ったほうがいいんじゃないか」とか一瞬考えかけて、慌てて否定しました（笑）。ボリス・ジョンソンを見ていて、やっぱり病気は身を以て体験すると、考えが変わるんだなとつくづくわかりましたね。

内田　僕はボリス・ジョンソンの「変節」は評価しますよ。「君子豹変す」ですから、いいんです。あれで医療政策についての流れが変わると思います。

岩田　国民皆保険が定着している日本の場合は、アメリカと逆の問題があるんですよね。お金を払わないと救急車が呼べないのがアメリカの病理だとすると、「ちょっとお腹が痛いから、救急車でも呼ぼうか」みたいなモラルハザードが起きているのが日本の難点です。国民皆保険による安くてアクセスしやすい医療が、一部の国民の食い物にされている状況があるんです。

高級スーパーで買い物すると、会計を終えた商品を店員さんが過剰なまでに包装してくれますよね。患者さんのなかには医療も同じように考えている人がいて、「もっとちゃんと包んでくれ」みたいな過剰な要求を医療者にしてくるんです。これまで日本の医療サービスは、水道の蛇口をひねると水が出てくるように、「受けられて当たり前」と思っている人がほとんどでした。でも本当は、そんなに無尽蔵にリソースがあるわけじゃなく、使い倒せばなくなってしまうことを、国民みんなで認識してほしい。**医療に関しては日米ともに極端な方向に行き過ぎてしまったので、将来的に変えていく必要があ**

るでしょうね。

最悪のシナリオを基準に

内田　この後のことですけれど、1918年に世界中で流行したスペイン風邪の場合は、第1波よりも2波、3波のほうが死亡者が多かったそうですけれど。

岩田　そのとおりです。

内田　ということは、コロナも、このあと、来年、再来年とさらに感染が続くというシナリオはあるんでしょうか。

岩田　そのシナリオもあり得ますし、今年の秋冬に大流行が再び来るかもしれません。

スペイン風邪で第1波より第2波、3波の死亡者が多かった理由は、いろんな要素があって、ちょっと一概には言えないんですね。

当時、「スペイン風邪にはアスピリンが効く」と言われて、アメリカでは規定量の何倍もアスピリンを飲むのが奨励されたんですが、じつはインフルエンザウイルスに罹患している人がアスピリンを飲むと、逆に肝不全などを起こして死亡率が高まるんです。実際それで当時、アメリカ海軍と陸軍などで死亡率が飛躍的に高まったことがわかっています。

また当時は第一次世界大戦のさなかだったので、戦場の不衛生な環境で罹患したり、栄養状態が悪かったりと、いろんな要素が絡み合っている。現在ほどグローバルに人が移動する時代でもなかったですし、70億人の人口がいる今と、1918年のパンデミックを直接比較するのはかなり無理があります。

新型コロナも第2波が来るであろうことはまず間違いないんですが、それがどういう様相を示すかは、不明です。残念ながら、スペイン風邪はあまり参考にならないし、スペイン風邪よりましなシナリオになるかどうかも予測はできません。

ただし繰り返しになりますが、第2波が来たときを想定しての準備は、確実にしておくべきです。しかもその準備は最も悪い、つまり**最悪のシナリオを基準に考えておくべきです。**

なぜって、準備が肩透かしに終わる分にはいいんですよ。「これだけ準備したけど、結局大したことなかったじゃないか」と言って、みんなで苦笑いして後片付けする、というのが一番いいシナリオです。ちょうど20年前に騒がれた、「Y2K問題」と同じですよね。西暦1999年から2000年に年を渡るとき、世界中のコンピュータが日付の処理ができなくなって誤作動するんじゃないか、と懸念されたあの問題です。

内田　2000年問題、そう言えば、そんなのが確かにありましたね。

岩田　僕はちょうどそのとき、ニューヨークの病院で研修を受けていたんですが、1999年の12月31日の夜、病院のスタッフ全員に招集がかかったんです。「時計の針が12時になった途端、ICUの人工呼吸器が全部止まるかもしれない、止まったらみんなで患者の呼吸をサポートするぞ」って本気で心配しました。それで、患者さんの命に関わる問題だから、みんなで年越しの瞬間をじっと待っていたんです。

そしたら結局何事も起こらなくて、みんなで笑って「ハッピーニューイヤー！」と言って帰りました。いずれ来るコロナの第2波も、「蓋を開けてみたら大したことなかったね」で終われば御(おん)の字です。僕ら専門家が、「騒ぎ過ぎだよ」とか言われて世間の人に怒られるぐらいでちょうどいいんです。

内田　なるほどね。僕もなにごとによらず「最悪の事態」を想定して、それに備えておかないと気が落ち着かないタイプなんですよ。楽観的な人間だと思われがちですけれど、ほんとはすごく慎重なんです。だから、お話を伺っていて、よくわかるんです。「心配し過ぎだよ」とひやかされて終わるくらいのほうが僕は落ち着くんです。

その点でも、岩田先生の専門である感染症科と、ほかの診療科では、ずいぶん温度差があるような気がします。想像ですけれど、内科や外科だと、どれくらいの医療資源の備蓄が必要か、どれくらいの病床数の医療スタッフが必要か、だいたい推計ができるんじゃないかと思います。いきなり腎不全の患者が増えるとか、いきなり脳外科手術が増えるとかいうことはふつうはないでしょうから。でも、感染症科ではそういう平均値みたいなものを基準にして制度設計することができない。感染症の患者が来ないときは、何年にもわたってまったくお呼びがかからないということが起きる。そうすると、何も起きない間、感染症科に投じたコストが「無駄」と見なされる可能性がある……、この見立ては合ってますか?

岩田　まったくそのとおりです。

感染症のプロが少ない日本

内田　僕はその感染症科に特有の事情が、医療における新自由主義的な発想と一番食い合わせが悪い理由じゃないかという気がします。

岩田　消防署と一緒ですね。消防署って絶対必要ですけれど、仕事がないほうがいいですよね。

内田　確かに(笑)。

岩田　消防隊が毎日あちこちに出動して忙しくてしょうがなくなったら、その街はあまり良い状況ではありません。消防隊員たちが基本的に暇にしてるのが、一番健全な街の状態です。人間だけじゃなくて消火器も同様で、消火器が効率的にどんどん使われるようになったらそれはヤバい世の中で、ほとんど使われることなく使用期限が切れて、もったいないけど捨てちゃうのが延々繰り返されるのが正しい消火器のあり方なんです。同じように感染症対策も、準備はしておくけれど、何も起きないのが望ましいんですよね。それで我々みたいな専門医が、「また感染症の医者が暇してるよ。あいつらはいい身分だよな」なんて言われる状態がベストです（笑）。

内田　実際そういうことって他の科のお医者さんから言われるんですか。

岩田　いや、言われないです。残念ながら感染症の専門医は、日本でめちゃめちゃ人手が足りない状態が続いているので。

内田　それは昔はいたけれど、最近になって数が減らされたということですか。

岩田　いえ、もともと日本に専門医がいないんです。まだ40代の僕が、日本における感染症専門医のパイオニアの一人ですからね（笑）。

内田　へぇー！　そうなんですか。

岩田　僕が2004年に日本に帰ってきたときは、（臨床分野としての）感染症のプロは国内に片手で数えるほどしかいませんでした。感染症を診療している医者はたくさんいましたが、ほとんどが他の専門領域のプロが感染症「も」やっている、というぐらいでアメリカのような感じのプロは稀有でした。それで僕、自分の弟子にあたる若い医者たちに「今、感染症の医者になったら、日本で10本の指に入れる。第一人者に今すぐなれるよ」って、勧めてたんです（笑）。

内田　それはつまり、日本は過去に、感染症の専門医を必要とするような規模のパンデミックの経験を持たなかった、ということなんですか？

岩田　小規模なパンデミックは、1956年に流行ったアジア風邪など、ときどき起きています。1980年代に世界的に恐れられたエイズや、09年の新型インフルエンザなどもあります。ただいずれの病気も、日本社会全体に与えるほどのインパクトはなかったので、感染症専門医の必要性が軽視されたということはあるでしょう。新型コロナは、まさにスペイン風邪以来100年ぶりに起こった超巨大パンデミックですからね。

感染症専門医が育たなかった理由の一つには、日本の医療が歴史的にドイツ型の、臓器で診療科を分けるシステムで構築されたことがあります。日本の医者は心臓の専門家、脳の専門家、目の専門家といった具合に臓器で分かれていますが、感染症は臓器で分けることができません。

それで肺炎を起こす感染症は呼吸器の先生が診て、腎臓の感染症は泌尿器の先生が診ていたんですが、いわゆる感染症全体を対策する医者というのは、日本には育たなかったんです。それに世界的に見ても、感染症医療って新しい分野なんですよ。アメリカで感染症のプロフェッショナルが育つ契機となったのが、1960年代のベトナム戦争です。

ベトナムに派兵されたアメリカの兵士たちが、現地で買春したことによって、非常に多くの淋病患者が生まれたんですね。淋病って治りにくい病気なので、その治療と予防をどうするかアメリカ政府も頭を悩ませて、それで感染症対策の専門家を育てようということになった。僕のアメリカにいるお師匠さんはアメリカ感染症界のパイオニアの一人ですが、ベトナム戦争の従軍医師でした。それからアメリカはずっと、感染症の専門家を増やしてきたのです。

一方、日本は国民皆保険で薬が安く、出来高払いで薬を出せば出すほど病院も製薬企業も儲かった時代がありました。今は違いますが。で、抗生物質を出せば出すほど儲かるというので、じゃんじゃん患者に投与してたんですね。一時は抗生物質の消費量が世界一だったほどなんですが、抗生物質を飲むと、ある程度の感染症は治っちゃうんです。いや、本当は飲まなくても治るウイルス感染も多いし、実際にはウイルス感染に抗生物質は効かないのですが、いずれにしてもたいていは自然に治ってしまうから、抗生物質が効いているような印象を与えてしまう。「感染症には抗生物質を出しときゃいい」みたいな軽いノリで感染症診療は行われてきました。専門性の高さなどは出てくるはずもない。

ところが1990年代の終わりぐらいから「薬剤耐性菌」というのが増え出して、状況が変わりました。抗生物質を使いすぎたことで、それに耐性を持つ菌がどんどん増えてきたんです。それで「こういう適当な医療を続けていてはダメだ」とようやく気づいて、感染症の専門家の必要性が周知されてきたのが2000年代です。僕が日本に帰ってきたのが2004年で、その頃は本当に日本に専門家がいなかった。だから、日本の臨床感染症界の歴史は、非常に短いんです。

GHQに遡る要因

内田　日本でも、感染症医は増えつつあるんですか。

岩田　はい、増えつつあります。ただ今回のコロナ禍のような事態が起こっても、存分に我々の力が発揮されているとは言えません。厚労省が、専門家に問題を委ねたがらないんですね。

現在の専門家会議の方々も、基本的には臨床感染症の正式なトレーニングを受けたプロフェッショナルではありません。キャリアの半分ぐらいをWHOとか保健所などの医療行政機関で過ごされてきて、そこで大きな仕事をされた先生方ですが、感染症の最先端の現場とは縁遠くなっている方たちです。もちろん、過度な現場主義はそれはそれで判断を誤らせるので、現場人間だけじゃなくてもよいのですが、日本の専門家会議は一般的に管理職的なシニアの方をメンバーにしてしまう傾向が強すぎます。

これまでの日本の感染症対策は、行政によって主導されてきたんですね。結核や沖縄のマラリア、フィラリアなども保健所が中心になって対策をしてきました。それは歴史的な理由があって、太平洋戦争後に日本の公衆衛生の基本的な仕組みを、GHQが作ったからです。当時、満州や南洋から多くの兵士、日本人が引き揚げてきましたが、その人たちが発疹チフスなどの感染症を持って帰ってきて、昭和20年以降、いろんな感染症がドーンと増えたんです。

当時の日本は現在に比べて、上水道も下水道も整備されてない、圧倒的に「不潔」な国でした。衛生環境の向上のためには、上下水道をはじめとするインフラを整備する必要があることはGHQも認識していたんですが、戦争に負けた日本は貧し過ぎて、そのための予算がまったくなかった。

なので仕方ないから、予防接種として感染症のワクチンを片っ端から打ったんですね。

上下水道工事に比べれば、ワクチンは圧倒的に安いですから。ところが、それらのワクチンのなかには、粗悪な工場で作った問題のあるものが含まれていました。

例えば、ジフテリアという病気に使われていたワクチンがあります。ジフテリアは昔、子どもがよく亡くなる病気で、本来そのワクチンはジフテリアの菌を無毒化して作るんです。ところが1948年に、その無毒化がされずにジフテリア菌をそのまま子どもに注射しちゃう事件が起こり、京都や島根で84人もの子どもが死んでしまったことがありました。

当時は予防接種法という法律ができたばかりで、しかも運用がものすごく雑で、予防接種を受けた患者に副作用が起きても、それは「患者の特異体質」ってことで全部片付けられてしまったんです。それで多くの患者さんが何の補償もないまま、長い間、捨て置かれました。

日本の感染症対策は、そんなGHQ主導の雑な施策から始まって、経済成長とともに少しずつ改善されていったんです。上下水道が完備されて衛生状態が良くなり、八重山諸島からマラリアが駆逐され……、製薬メーカーが抗生物質をたくさん作るようになって……、ま、これは前述のように功罪ありましたけど……、70年代から80年代にかけて「清潔な国」になったわけですね。

そんな歴史を見てもわかるとおり、感染症についても日本はずっと行き当たりばったりの対応をしてきたんです。確固としたプランとか、明確なビジョンがあるわけじゃなく「こんな問題が起きたから対策しよう」の繰り返しで今に至ります。そのへんが「こういう国を作りたい」という理想で作られたアメリカとぜんぜん違います。

内田　感染症対策でもアメリカと日本のお国柄の違いが出るわけですね。

岩田　例えばアメリカは2000年に、「結核という病気をアメリカ合衆国から撲滅する」というビジョンを打ち出しました。その実現のために、移民の検査方法や治療に関するスキームを整えて、きっちりと運営しています。「理念をまず作り、現実化していく」というアメリカ建国の歴史が、感染症対策においても踏襲されているんです。

一方で日本の結核対策は、「結核という病気を最終的にどうしたいのか」という理念がないまま、昭和26年に作られた結核予防法に基づき、ずっと前例踏襲で紙で書かれた対応策を回し続けていただけでした。のちに法律は（いわゆる）感染症法に移行されましたが、ビジョンが欠如しているのは同じことです。エイズ然り、麻疹然り、です。

しかし、それも当然なんです。なぜならビジョンを作るべき厚労省の結核感染症課の担当者は、ほぼ2年ごとに異動で部署が変わっていくからです。結核の対策をやっていても、2年が経てば「次は消防をやりなさい」「◯◯県の地方自治をやりなさい」などと言われて、すごろくのように部署を渡り歩き、最終的に事務次官を目指したり、政治家になって国政に参加したり、あるいは地方で県知事や副知事を目指すのが、日本の官僚のゴールなんです。感染症対策の仕事はそのすごろくゲームのごく一部なので、当然ビジョンなんて育つわけがありません。

今のコロナ対策も多分同じです。コロナは一過性の病気ではなく、何年も継続することがわかってきましたから、**3年後、5年後、10年後のコロナに対応した日本社会のあるべき姿を策定することが大切**ですが、おそらく厚労省はそんなことまったく考えてない。今この瞬間をどう乗り切るかで精一杯で、せいぜい数週間後、数カ月後ぐらいまでの未来しか想定していないのではないか。そう思われてなりません。

結果オーライの悪弊

内田　岩田先生がおっしゃるように、ビジョンやプランを作らずに、問題発生のたびに弥縫策(びほうさく)を講じることで何とかその場をしのぐというのが、日本人の習性であると僕も感じます。それがこれまで続いているのは、実際にそれで何となくうまくいってきたからでしょうね。

岩田　残念ながら、そうなんです。

内田　今度のコロナ禍も、その場しのぎの弥縫策を次々と繰り出しているうちになんとかなりそうだと政府の人々は考えているようですね。

岩田　まあ、第1波は実際にそうなりそうですね。

内田　そうするとコロナの後でも日本の医療システムは結果的に何も変わらない、と。

そうなる可能性もありますね。政府の様子を見ている限り、CDCを作ったり、感染症対策へ医療資源を集中するといった大きな政策転換に向かうとはどうしても思えない。

岩田　その可能性はありますね。「コロナはうまく乗り越えたから、次は経済の復興だ」と言って、「医療資源の拡充よりも経済対策にお金を使え」みたいな話は絶対出てくると思います。

内田　今回のコロナ禍に関して、欧米に比べて日本の死者数が少ないことは不幸中の幸いですが、それが日本政府の感染症対策の「成功体験」として総括されることに僕は強い不安を感じるんです。「なんだかんだ言いながら死者が少なくてよかったよかった。誰も責任なんか取る必要ない」というふうに総括されてしまうと、何の進歩も、変化もない。でも、政府も行政もメディアも、必死にその方向に話をまとめつつある気がします。

岩田　絶対そうなるでしょう。09年の新型インフルエンザのときが、まさにそうでした。アメリカは新型インフルエンザで推計1万2千人以上が亡くなっていますが、日本人の死者は199人です。当時、「日本のやり方がよかったからだ」という方向で厚労省がまとめた資料を見ながら、総括会議に参加した記憶があります。資料が先にあって、専門家が呼ばれて資料に沿って議論が行われる。「なんちゃって、やったふり」会議です。もっとも、僕は「いやいや、フランスもドイツも死亡率低かったので、日本だけの手柄じゃないですよ」と空気を読まないコメントをしていましたが。あの頃から、厚労省には、「俺たちのお作法が理解できない奴だ」と、目をつけられていた気がします（笑）。

内田　09年の新型インフルエンザのときのことを僕も覚えています。行政が、外出自粛要請の方針を出しましたね。そしたら、みんな家にこもって、街が火が消えたようになった。僕は一度だけ用事があって三宮に行ったんですけれど、センター街がはるか向こうまで見渡せるほどみごとに人がいなかった。日本人て、ほんとうに行政の言うことをよく聞くなあと感心してたんです。すると、今度は「これでは都市機能が麻痺する」となって、街にまたぞろぞろ人が出るようになった。僕はそのときにほんとうにびっくりした。「感染の危険があるから家から出るな」という方針を解除するロジックがあるとしたら、「感染の危険がなくなったから家から出てもよろしい」でしょう?　「感染の危険はあるけれど、金が回らなくなるから、外に出て金を使え」というのは論理的には成り立たない。「命の話」をしている場面に「金の話」が持ち出されてきたので、ずいぶん面食らいました。おい、命より金が大事なのか、って。

でも、今にして思うとその頃からですね、どういう感染症対策が適切であるかを決めるときに、そんなことをして経済活動が回るのかとうるさく言い立てるようになったのは。新型インフルエンザのときはさいわい感染が拡大せずに終わりましたけれど、もし市民が行政の指示に従って外出自粛を解除して、活発に消費活動をして、そのせいで感染拡大したら、あのときは誰が責任を取る気だったんでしょう。

岩田　結果オーライですよね。11年前の新型インフルエンザのときにも日本にCDC的なものがない問題など、今とまったく同じことが議論されたんですよ。

内田　そうでしたね。

岩田　僕は総括会議でCDCを作ったほうがいいって主張したんですけど、「日本はC

DCなしでうまくいったじゃない」みたいな話になって（笑）、きれいに黙殺されました。当時は舛添要一さんが厚労大臣で、官僚たちが作った新型コロナ対策にあたる委員会があまり信用できなかったみたいで、僕ら当時若手の医師や専門家を集めてサブ委員会みたいなのを作ったんです。僕たちの意見もだいぶ聞いてもらえてテコ入れしたんですけど、それが官僚たちはあまり気に入らなかったみたいで（笑）、新型インフルが収束したら直ちに解散となってしまいました。

内田　2003年のSARSが日本で流行しなかったのはどうしてですか？

岩田　SARSが日本に入ってこなかったのは、完全にまぐれです。最近、日経新聞が「日本の空港での水際作戦がうまくいってSARSの流行を食い止めた」と書いていましたけど、それは大間違い。「水際作戦がうまくいった」と言うためには、空港で人々を検査してSARSの感染者を発見し、帰国してもらったり隔離したりして国内に入れないことが必要です。でも実際には、一人も見つけてないんです。ただ単に、日本に誰もSARSの感染者が訪れなかっただけのラッキーなんです。

当時僕はアメリカにいたんですが、カナダではけっこうな数のＳＡＲＳ感染者がいたのに、アメリカには全然いなかった。「アメリカとカナダの何が違うんだ？」と仲間と議論したんですが、「ジャスト・ア・マター・オブ・ラック（just a matter of luck）」、つまり「運が良かった」って話になったことを覚えてます。

内田　中国はＳＡＲＳがひどかったんですよね。

岩田　中国はひどかったですね。その直後に僕は中国の北京に異動したんですが、北京市内に何千人もの感染者が発生して、僕も診療所でずいぶん多くのＳＡＲＳ疑いの発熱患者を診ました。

内田　中国版のＣＤＣができたのはそのあとですか？

岩田　そうです。中国は２００２年のＳＡＲＳ流行後に、チャイナＣＤＣを整備しました。韓国も同様に、２０１５年のＭＥＲＳの流行後にコリアＣＤＣを組織改革してます。

内田　どこの国もそうやって、失敗経験を踏まえてＣＤＣ的なものを設立しているわけですが、日本だけは「失敗してないので改善の余地はない」という話になっている。

保健所に自立的な判断機能を

岩田　ＣＤＣも作ればいいってものではなくて、その後の適切な運用が大切です。実際、アメリカのＣＤＣもいろいろ失敗してるんです。１９７６年のフォード大統領時代に、新型の豚インフルエンザがアメリカで少しだけ流行しました。そのときはわずか11人が感染しただけで国中が大パニックになりまして、ＣＤＣが「アメリカ国民に全員ワクチンを打つべきだ」と主張して、２億人の国民全員にワクチンの接種を目指す「全員ワクチン政策」というのを作るんです。

それであわてて打ち始めたんですけど、そのワクチンが原因で副作用が起こって、高齢者が亡くなったりギラン・バレー症候群を発症したりする人が、５００人以上現れました。結局、その新型インフルエンザは全然広がらなくて、副作用で苦しむ人を生み出しただけ、という大チョンボをやってるんです。

その他にも２００１年、僕がアメリカにいたときの９・11同時多発テロ後のバイオテロ事件でも失敗しています。

航空機が世界貿易センターに突っ込んだ後、テロリストがアメリカ国内に炭疽菌をばら撒くという事件が起こっていたんですが、そのときCDCは「炭疽菌は空中に飛び散ったりしないから、手紙に封入しても郵便局の人は罹らない。大丈夫だから、郵便物の配達業務は通常どおりで問題ない」と宣言したんです。ところが、テロリストは加工した炭疽菌を使っていて空中への散布力が強化されており、郵便物から漏れた菌で感染した郵便局員が何人か亡くなってしまいました。それでCDCに対する大バッシングが起こりました。

CDCだって、人間の集団ですから失敗はするわけですね。ただ、アメリカのCDCのいいところは、そういう失敗の体験をちゃんと蓄積し、その痛みから学習して、組織を改善しているわけです。日本にはその積み重ねがないんですね。蓄積もなければ、教訓も見つけないし、反省もしない。「大体うまくいった」という神話的な物語にまとめようとする。厚労省という組織は、自らの失敗をなかなか認めようとしません。

内田　コロナ以降に具体的な提言をするとしたら、CDCを作ること以外にどんなことが考えられますか。岩田先生が厚労大臣で、政策を立てられる側だとしたら。

岩田　たくさんありますが、例えば「感染症に特化した病院」を作るべきだと思いますね。香港にはSARS流行後にできた感染病専門病院がありまして、そこは普段はとても暇してるんです。しかし数年に一度、感染症が流行したらその病院を開けて、たくさんの患者を受け入れる。「税金の無駄遣いだ」と言う人もいるでしょうが、消火器と同じで、いざというときの常備物だというのは先ほども言ったとおりです。こういう病院が整備されていると、例えば未知の感染症の流行初期時には対策準備のバッファーになりますし、クルーズ船のアウトブレイクなどにも対応できるでしょう。

内田　CDC設立というのは政府レベルのことと思いますが、都道府県レベルの対策としては、どういうことが考えられますか?

岩田　まずは、各自治体の保健所のスキームを見直すことが大事だと思います。具体的にいえば、厚労省の言いなりになるのではなく、ある程度の**自律的な判断機能を保健所**

に持たせる、ということです。

今回のコロナでは当初、「37度5分以上の熱が4日以上続いたら病院にかかってPCR検査を受けてください」という話でした。すると保健所の人たちは、コロナらしき患者さんが来てもその診断基準を満たしている人しか〝感染者〟と見なさない。同時にこれは、PCR検査の数が抑制された大きな要因にもなったわけですが、先日、加藤厚労大臣が「発熱4日以上は検査要件ではない。あくまで目安で、現場が誤解しただけ」とか言って、みんな「おいおい」とずっこける事態になりました。

基本的に保健所は、厚労省が言うことは金科玉条として絶対に従うんです。それが良くない結果を生んでいて、本来であれば、保健所の人たちが感染症のプロフェッショナル集団として、自分たちの見識とスキルを基に個別の事例を判断すべきなんです。しかし現状では判断機能を完全に奪われていて、言われたとおりにやるしかない。

保健所が自分たちの裁量で「この人は検査してもいいだろう」と判断できれば、国民も疑心暗鬼にならず、保健所の職員もしんどい思いをしなくて済んだはずです。そもそも新型コロナは保健所を介さないと検査ができないという、この最初のルールが無理筋で、そんなスキームにする必要がなかった。でも厚労省って「しんどければしんどいほど偉い」みたいな空気があるから、「楽にやれること」を嫌うんですよ。

内田　なんと……。

岩田　多分、自分たちが日々死にそうになりながら働いてるから、徹夜続きで血を吐くまで頑張る奴が偉い、みたいなエートスがある。未だに連絡にファックスとか普通に使ってますから。「ファックスじゃなくて普通にコンピュータに入力して計算したほうが、三つぐらい手間が省けて楽だし、間違いが起こらないでしょう」と彼らに言っても、「ファックスは紙で記録が残る」とか意味のわからない反論をされて、押し切られてしまうんです。

内田　中国も台湾も韓国も、コロナ対策でＩＴをとてもうまく活用していました。日本も少し前までは、ハイテク分野で世界一だったはずなのに、いつの間にかずいぶんと後進国になってしまいましたね。

岩田　出勤の自粛でリモートワークが奨励されながら、わざわざ書類にハンコを押すためだけに会社に出社する人たちがたくさんいることも問題になりましたね。

凋落の背景にあるマインド

内田　90年代にバブルが崩壊したあたりから、日本の凋落(ちょうらく)は始まったと僕は感じているんです。それ以前の70年代~80年代だって、別に日本にはグローバルなビジョンや国家戦略があったわけじゃない。でも、経済成長を続けていずれ〝世界一金持ちの国〟になるんだという変な勢いだけはあった。そういう「行け行けドンドン」のときは、みんな自分のことで一生懸命ですから、他人のことなんか構っている暇がないんです。国力向上期というのは、そういうものなんです。みんなおのれの出世や金儲けに夢中ですから、他人のことは気にしないんです。オレの邪魔さえしなければ、その辺で好きにしてろよと、放置しておいてくれる。だから、僕らみたいなまるで社会的有用性のないフランス文学とか哲学とかやっている人間にとっては生きやすい時代でした。仏文研究室にもトリクルダウンでじゃんじゃん予算がついたんですから。
それがバブル崩壊からいきなり風向きが変わった。日本全体が貧乏臭くなったんです。貧乏臭くなると何が始まるかというと、人のところにやってきて「お前は何の研究をしているんだ。それは世の中の役に立つのか？　金が儲かるのか？」とうるさく査定するようになったんです。役に立たない部門にはもう予算をつけない、人員もカットする、と。いきなり「せこく」なった。

岩田　大学の空気はバブルの前後で大きく変わりましたね。

内田　とにかくうるさく査定するようになってきた。その査定に基づいて資源の傾斜分配ということをするようになった。限りある資源なんだから成果主義で配分する、というのは一見合理的に見えますけれど、査定をするためには単一の「ものさし」で全員の活動を数値化しないといけない。そして、単一の「ものさし」をあてがうためには、「みんなが同じことをしていて、数量的な差だけがある」という仕組みにしないといけないわけです。１００メートル走をしている人間とサッカーをしている人間とダンス踊っている人間を同一の基準で格付けすることはできませんから。全員を同一基準で査定しようとするから、「人と違うことをするな」という同質化圧力が強まる。

学生たちが雪崩うってTOEICのテストを受けだしたのは、あるときから英語運用能力が学力の「ものさし」になったからです。そうなると、フランス語や中国語やアラビア語をやっている学生は「査定対象外」に弾き飛ばされる。「査定対象外」ということは実質的には「0点」ということです。学生たちは「0点」じゃたまらないから、「みんながしている」活動で、数値的な優劣を競うようになった。そうやってアカデミアから一気に多様性と自由が失われた。見ず知らずの他人がしていることについても、いちいちあら探しして、揚げ足をとる人間が出て来たのも、その頃からですね。貧乏になるとそうなるんです。勢いがあるときは自分のことに夢中で、人のことなんか目に入らないんですけれど、落ち目の時代、「査定」の時代になると、自分はやりたいことがないし、やりたくてもできないので、結局他人の足をひっぱることが仕事になってしまう。「日本も落ちるところまで落ちたなあ」と感じたのは、少し前に僕のツイッターに

「鰻を食べた」と書いて写真を上げたら、「そんなことを自慢するな。貧しい人間の気持ちがわからないのか」と怒られたときです。ただの鰻ですよ（笑）。「ああ、日本も終わったな」と思いましたね、本当に。60年代、70年代は今より貧乏でしたけれど、そんな「せこい」ことを言う人はいなかったですよ。

伊丹十三の『ヨーロッパ退屈日記』は1965年の本ですが、その中で伊丹はスパゲッティの食べ方や、アーティチョークの料理法や、高級車の発注の仕方などについて蘊蓄を傾けているわけです。こっちは「アルデンテ」も「ジャギュア」も知らない敗戦国の子どもでしたけれど、それを読んで嫉妬するということはまったくなかった。ああ、敗戦国日本からもついにこのような国際派が登場してきたのか、うれしいな、誇らしいなあというのが素朴な印象でした。伊丹十三のハイエンドな暮らしぶりを「わがこと」のように喜んだ。でも、もし今「伊丹十三みたいな人」が出てきて、『ヨーロッパ退屈日記』みたいな本を書いたら、「けっ、自分ばかりいい思いしやがって」という嫉妬と罵倒のリプライが殺到するんじゃないかな。

岩田　同感です。

内田　社会全体でパイが大きくなっているときには、分配方法について文句を言う人は少ないんです。各自の取り分が前日より増えていれば、とりあえず文句はないんです。でも、パイの拡大が止まったり、縮小が始まると、いきなり手元のパイから隣のパイに目が移る。「おい、この切り分け方はおかしいんじゃないか。どうして隣のやつがオレより取り分が多いんだよ」というようなことを言う人が出てくる。必ず、出てくる。「パイをどうやって大きくするか」より、「誰もが納得できる合理的な分配ルール」とか「厳正な格付け基準」という話に話題がシフトする。

でも、分配方法をどれほど合理的にしても、格付け基準を厳格化しても、それはパイの増減には何の関係もないんです。どうやってパイを大きくするかについて、みんなで創意工夫をこらすべきときに、その時間とエネルギーを分配方法の策定に浪費しているわけですから、パイは日々縮んでゆくに決まっている。そして、パイが縮むほど、分配方法についての議論はさらにかまびすしくなる。僕はそれがこの四半世紀にわたる日本の凋落の実相だと思いますね。90年代まで日本はＩＴでも、工業製品でも、あるいは学術情報の発信やエンターテインメントでも、世界標準レベルのものを供給していた。それがわずか20年で、一人あたりのＧＤＰで世界2位から26位まで落ちた。これだけ急激な凋落を経験した国は歴史上それほどないです。その理由は「パイを大きくする工夫」を忘れて、「パイの分配方法の工夫」に国民が熱中してきたせいだと思います。

同調圧力という病理

岩田　内田先生のお話を聞いて思ったんですが、もしかするとこの新型コロナウイルスのパンデミックが、人の足を引っ張りあう社会から脱却する、一つのチャンスになるかもしれません。

コロナの感染が広がる一番の原因は、「同調圧力」なんです。みんなが一つの場所に集まるから、どんどん感染が広がっていく。逆に言えば、「人と違うこと」をやり続けていれば、感染リスクはどんどん減っていくんです。ところがこの「人と違うこと」に、今の日本人の多くは耐えられない。

「リモートワークの環境が整ってるなら自宅で働けばいいじゃん」となっても、「同僚が電車に乗って会社に通ってるのに、俺だけ家にいるのは許されない」とか言って、みんな出勤する。他の人と合わせないことで、ペナルティをもらうことを恐れてるんですね。


僕は毎朝5時過ぎからジョギングをするんですけど、その時間だと、例えば自宅から六甲アイランドまで往復11キロぐらい走っている間、ぜんぜん人に会わないんです。週末はたいてい、このくらい走ってますが、他に人もいないのでマスクもせずに普通に走ってます。それで他の人に「外を走っても、人がいなければコロナに感染はしません」と言うと、「じゃあジョギングは大丈夫なんですね?」と思われて、みんなでジョギングを始める。するとジョギングの集団ができちゃうので感染が広がる（笑）。

人と違うことに耐える、そして誰かが人と違うことをやっても許せる。この二つの姿勢を僕らが身につければ、コロナ対策にもなるし、日本社会のヘンな同調圧力から脱却できる契機になると思うんですね。

内田　それはほんとうによくわかります。感染症対策として一番いいのは「ばらける」ことなんですよね。できるだけ「みんながしていること」はしない、というのがいい。これは、**限られた環境世界のなかで複数の生物種が生き延びてゆくために、生態学的ニッチを「ずらす」という生存戦略**と同じだと思うんです。生物は夜行性、昼行性、肉食、草食、樹上生活、地下生活……というふうにニッチを「ずらす」ことで空間的にも、資源的にも限られた環境のなかで共生している。感染症はそういう生き方が人間の場合でも生存戦略上有利であるということを教えてくれたんじゃないかと思います。岩田先生も僕も、「人と同じことをする」ことが大嫌いですけれど、そういう人って、たぶん感染症に強いんですよね。

もう一つ質問なんですけれど、岩田先生が最も恐れている事態は何ですか?

岩田　僕が今すごく恐れているのは、地震のような自然災害なんです。今、このタイミングで大地震が日本に起きたら、コロナとのダブルパンチで本当にヤバいことになります。大地震後には必ず避難所ができますが、避難所は最もコロナに弱いんですよ。

内田　「3密」そのものですからね。

岩田　はい。熊本地震や東日本大震災のときも、僕は現地に行ったんですが、避難所はやたら人が多くて、しかも密集しています。現場では感染リスクを減らすために、水回りやトイレの衛生環境などを改善しましたが、どうしても克服できなかったのが「人と人の短過ぎる距離」でした。益城町の避難所ではみんな雑魚寝（ざこね）していたので、一人のおばあちゃんがインフルエンザになったら、隣の方もすぐに感染しちゃうんです。

それで役人に「この密集状態を放置していたら、感染症が蔓延して危ないです。福岡あたりのホテルに半分ぐらいの人を移動させましょう」と提言したんです。どうせ、地震のあとでホテルはガラガラですからね。人が半分になれば、避難所のスペースも空くので感染リスクは大幅に減ります。でも県庁の人は「そんなのできるわけないですよ」と言って怒るんです。

内田　半分だけ移動するのがダメなんですか。

岩田　そうです。「『一部の人だけホテルに行くのは許せない』という人が必ず出てくる」って言うんです。僕が「半分がホテルに行けば、残っている人たちもスペースに余裕ができて、みんなが得するんですよ」と言っても、認められなかった。「自分以外の誰かが得するなら、みんなで損をしたほうがマシだ」と考えるんですね。

これって、ダイヤモンド・プリンセス号でも起きたことなんです。３５００人がクルーズ船にはいたわけですが、ウイルス感染を広げないために、「１００人でも２００人でも下船させよう」と提言しても、「全員が一斉に下船できないなら認められない」と言って却下されました。

内田　誰かが「いい思い」をしているように見えると、激しい嫉妬と憎悪が渦巻くというのは、今の日本社会の際立った特性ですね。もともと同調圧力の強い社会でしたけれど、ここに来て、嫉妬を鎮めるためにサービスを均質化するということがほとんど自己目的化してきましたね。役人たちだって、住民の半分をホテルに移すほうが公衆衛生上適切だとはわかっていると思うんです。でも、「どうしてあいつらだけがホテルで、俺らは体育館なんだ。どういう基準で差別化するんだ。その基準を開示しろ」というような「分配方法の厳格化」こそが社会正義だと心の底から信じている人たちがわさわさと出てきて、つるし上げられるのが目に見えている。だから、お役人だって、ホテルに半分移すほうが全体としては住民の利益になるとわかっていても、できない。愚かしいことです。でも、こんな病的なマインドを放置していたら、いずれたいへんなことになりますよ。だって、船が沈もうとしているときに「救命ボートの席が足りない場合は、全員溺死するのがフェアだ」と言ってるわけですからね。

岩田　それは大学でも同じでして、僕ら感染症の医者が今、ちょっと論文でも発表しようものなら、「そんな論文を書いてる暇があるなら患者を診ろよ」とか言われるわけです（笑）。「その論文によってコロナ患者の治療が改善されるかもしれない」という発想がないんですよね。

医療が向上するためには学術的な積み重ねが絶対に必要です。研究しなければ、新しい薬も治療法も生まれてきませんからね。中国では今コロナに関してたくさんの研究者が論文を書いていて、毎日のように発表されています。武漢で何万人もの感染者が出ていたときですら、現地からたくさんの医師が論文を出しているのを見て、僕は「中国というのはやっぱりパワフルな国だな」と感じましたね。

鎖国というシナリオも

内田　もうすぐ緊急事態宣言が順次解除されていくと思います。大阪は独自に「大阪モデル」という指標を決めて、陽性率やＩＣＵの使用率を基準に解除をすることを宣言していますが、この基準についてはどう評価されますか。

岩田　わりと適切ですし、何より具体的な数値を最初から明示するのは良いことだと思います。多分、今の日本の政府の意志決定で一番よくないのは、説明がないことなんですね。「緊急事態宣言を出します」「全国の学校を休校します」と社会に大きなインパクトを与える施策を発表しても、「なぜ、それを今する必要があるのか？」は、示さない。説明なしでとにかく「やります」と言うだけです。それはよろしくない。

緊急事態宣言を延長するときもそうでしたよね。判断基準を全然示さずに、「一生懸命やってます」感だけをアピールしていることが本当に問題です。だから「大阪方式」がちゃんとした基準を明示したという、その点だけでも評価はできると感じます。

内田　数値で基準が示されたということは、それをオーバーした瞬間、再びロックダウンを行うということですね。

岩田　おそらく日本は今後、ロックダウンというか自粛要請を繰り返すと思うんです。空襲警報が来たら防空壕に逃げて、また過ぎたら元に戻るみたいな感じですね。僕自身は経済については素人ですが、そろそろ経済をちゃんと回さないと、別の問題が大きくなるだろうと思うので、段階的な自粛解除は必要ですね。締め付けが厳し過ぎると、我慢できなくなった人による反社会的な行動が増える可能性もあります。そういえばつい先日、ジョギングしてたら久しぶりに暴走族を見ました。

内田　へぇー！　珍しい。

岩田　43号線を5、6台のオートバイがワーッと走ってきて、後ろからパトカーが「止まりなさい、止まりなさい！」と言って、サイレン鳴らして追いかけていきました。それを見て、「みんなストレス溜まってんだな（笑）」と思いましたね。暴走族なんてぼくの若い頃に滅んだ存在と思ってました……。

早朝の暴走くらいならまだましかもしれませんが、社会の抑圧が激し過ぎるともっと凶悪な犯罪が増えたり、家庭内でのＤＶや虐待も増加する。これはニューヨークなど、世界各地で問題化されています。自粛と解放を繰り返しながら、少しずつちょうどいい社会のあり方を探っていく必要があるでしょうね。

内田　収束までにはどれぐらいかかると予想してますか。

岩田　年単位になることは確実です。過去のパンデミックの歴史を見ても、数年単位で収まっていくのでしょうか。あるいは収まらないものなのか。一つの未来予測に**「日本が鎖国に入る」というシナリオ**もあります。いったん鎖国すれば、収まる時期は早まるでしょうね。国内から完全に新型コロナウイルスを駆逐し、他から持ち込ませない方針を徹底すれば、来年までにコロナを収束できる可能性があります。

内田　でも、文字どおり鎖国しちゃうんですよね、飛行機も飛ばなければ、船も来ない……。

岩田　もし許すと、絶対またウイルスが入ってきます。今、南米、アフリカ、トルコ、ロシア、イランでも、ものすごい勢いでコロナの患者が増えています。国家間の人の往来が回復すれば、それらの国々からどんどんウイルスが入ってくることは確実です。パンデミックというのはそういうことなんです。

だから来年の東京オリンピックに関して、僕はすごく悲観的な予想をしています。オリンピックを本当にやるなら、世界中から選手を呼ばなければいけない。日本だけでオリンピックを開催したら、「国体」になっちゃいますからね（笑）。

それまでに特効薬やワクチンができて、パラダイムシフトが起きるというシナリオもあり得なくはないですが、望みは薄いですね。例えばエイズなんてもう40年近くも世界中の学者が研究を続けているのに、まだまともなワクチン一つできてないんです。コロナのワクチンも今、あちこちで臨床試験が行われていますが、安全性や有効性を検証するのには数年かかります。**ワクチンの安全性と有効性は、じつは二律背反**のところがありまして、ワクチンの効果が高ければ高いほど、炎症反応が惹起されやすくなるので副反応も強くなるんです。ちょうどいい頃合いを見計らないといけないので開発が難しい。

薬も同じです。薬効が強ければ強いほど副作用も大きくなりがちなので、そのバランスを見極めねばならない。今、200以上の臨床試験が行われていますが、「これは行けそうだ」という薬はまだ一つもありません。

内田　日本人は欧米人に比べてコロナの死亡率が大体100分の1ぐらいと言われています。

岩田　そうですね。

内田　そうすると「それぐらいの低い死亡率であれば、あるがままに受け入れよう」と考える人も出てくるでしょうね。

岩田　それは一つの仮説としては成り立ちます。ただし、それには一つの条件を満たす必要があって、今カウントしているコロナの死亡者数が正しいことを、厳密に証明しなければなりません。先程述べたような、突然死した人が実際にはコロナで死んでないことを、検査で確定させる必要があります。その条件が満たされれば、「日本人は死ににくいんだから、ある程度受け入れよう」となるのも一つのシナリオです。コロナによる不況で今後自殺する人が増加する可能性も大いにありますからね。

ただし、コロナの死亡リスクは明らかに高齢者に偏っているので、あるがままに受け入れる方向に行けば必ず世代間で論争が起きます。若者と年寄りの間でものすごく軋轢が起きるでしょうから、相当な覚悟が必要でしょう。現政権にそこまでやる覚悟はないというのが僕の見方です。

内田　年を取れば感染リスクが高まり、死にやすくなる。それは当たり前といえば、当たり前のことなんですけど。

岩田　そうなんです。あるメディアのインタビューに答えたことなんですが、「もし1918年にこのコロナウイルスが流行ってたら、何の問題もなかった」と話しました。当時は80代、90代まで生きる人なんて今みたいに多くなく、また、高齢者が感染症で亡くなる、という事態も現在とは異なり、自然に受け止められたことでしょう。

内田　1918年の日本人の平均寿命は43歳ぐらいですから。

岩田　年取ったら死ぬことが当たり前の時代ですね。まだ結核やマラリアの治療薬もなかったし、多くの人がいろんな病気で死んでいた。戦争もあったし、そんな状況でコロナが流行しても、たぶんタチの悪い風邪ぐらいで終わっていたと思います。病気が治るようになり、戦争で死ぬ人もいない。多くの方が80代、90代まで生きる世の中だからこそ、コロナが許容できないリスクになった。

エボラのような致死率の高い強毒のウイルスは、コロナほど怖くないんです。患者がすぐ死んじゃうか、重症化して隔離されるから、感染が広がらないんですね。現在もカンボジアあたりで「H5N1」という致死率50％以上のウイルスによる病気が確認されていますが、世界的にはほとんど問題になってません。それはカンボジアの外にウイルスがほとんど出ないからです。

だからコロナは怖いんです。多くの人にとっては風邪ぐらいの症状なのに、気がつくとアメリカで8万人、イタリアで4万人が死んでいる。真綿で首を絞めるように、じわじわと社会にダメージを与えていくんです。今も街を見れば、一見何事も起きていないように感じられますし、パッと見は普通じゃないですか。

表現が適切かどうかわかりませんが、**コロナは〝21世紀の鬼っ子〟**だと僕は感じています。先程から述べている同調圧力に相性が良いところとか、とにかく日本の現代社会の弱いところを的確に衝いてくる。「コイツには人格があるんじゃないか？」と思うぐらい、非常に性格の悪いウイルスです。

内田　コロナは本当に、日本人の生き方を変えるかもしれませんね。**「固まるな」「同調するな」「お互いに距離をとれ」「なるべく人と違うことをして暮らせ」**と勧めているわけですから。いわば日本人の伝統的な生き方を止めろということです。日本人がそうやってライフスタイルの転換を受け入れることができたら、それはけっこう結果的にはいいことじゃないかなと僕は思うんですけどね。

第2章 葛藤とともに生きる

2020年６月10日、凱風館にて

コロナで加速する経済格差

内田　心配なのは、コロナ後の世界を生きる、子どもたちの世代ですね。今の子どもたちは、僕たちの世代が経験したことのない世界を生きていかねばならないでしょうから。

岩田　うちにも小学生の娘が二人います。その子らが二十歳になる頃の日本は、おそらく生きるのがかなりしんどい時代になっていると思うんです。コロナの休校期間が終わって、一日おきに小学校に通ってますが、娘たちを見ていると、すでに同級生の間でも格差社会的なものが生まれているのを感じるんです。

内田　経済的な格差ですか。

岩田　はい。うちは神戸の普通の公立校ですが、高学年になると家庭の経済力によって、塾に行ける子とそうでない子で分かれてきます。塾に行けない子は行き場がないので、学校が終わるとずっと公園で遊んでいます。当然、学力差はどんどん開いていきます。小学校でついた学力の差が、将来の進学先や就職先に大きな影響を与えることを考える

2020年５月21日、新型コロナウイルスの飛沫感染防止用のついたてが設置された福岡県田川市の伊田小学校の授業風景。

と、暗澹（あんたん）たる気持ちになるんですよね。

内田　この10年間で、高度経済成長期の日本を下支えしてきた分厚い中産階級が崩れ始めた。少数の富裕層と大多数の貧困層に社会の二極化が進行中です。

岩田　そうですね。僕が子どものときには、そんなにすごいお金持ちは周りにいませんでしたし、どの家も中流家庭といった雰囲気でした。

内田　僕の子ども時代は、友だちに「遊びに来ない？」と言われて、行ってみると息を呑むような陋屋（ろうおく）だったなんてことがよくありました。戦争が終わってまだ10年ほどでしたから。工場の倉庫に暮らしていたり、六畳一間に家族全員で住んでたりした。僕の世代はそういう貧しい時代から始めて、経済成長期を通じてしだいに貧困が解消されて、一億総中流化するプロセスを目の当たりにしてきた。今はその逆ですね。格差が拡大して、しだいに貧困層が増えてゆく時代になってきた。

岩田 僕は1970年代の後半から80年代頭ぐらいに、島根県で小学生時代を過ごしました。島根県は日本でも貧しいほうですが、食うのに困るレベルの人は周りにほとんどいませんでした。中卒や高卒で就職する人も少なくありませんでしたが、貧しい家の生まれでも働いていれば家や家庭を持ち、それなりに幸せに暮らすことができたと思います。それは恐らく、終身雇用が基本にあったからでしょうね。

内田 格差拡大の背景には、雇用形態の変化があると思います。非正規雇用が40%と、雇用環境が著しく劣化した。もう企業には自力で若い人を育てるという気概がない。必要な人材は、必要なときに、必要な数だけ労働市場で調達すればいいという考えが主流になった。でも、終身雇用は国民の生活の安定のためにはとても良いシステムだったと思うんですけどね。

岩田　終身雇用の時代には、町工場や小規模の会社に勤めている人でも、切羽詰まった感はさほどありませんでしたね。今回のコロナは、終身雇用が崩壊した日本を直撃したわけですが、これから大量の失業者が出ることが心配です。

内田　企業の倒産、廃業がこれから増えれば、当然失業者も増える。でも、雇用はこれまでのところは、よく持ちこたえていると思います。前回の対談で、医療崩壊をギリギリのところで食い止められたのは、現場の医療従事者一人ひとりの属人的な努力が大きかったという岩田先生のお話が印象的でしたけれど、今の時点で、倒産や廃業がそれほど目立たないのも、**中小企業や自営業の経営者が、個人レベルで頑張っているから**だと感じます。ろくな休業補償もないんですから、倒産してもおかしくないのに、雇用を守るためと顧客の期待に応えるために、必死になって会社を守っている経営者がたくさんいる。日本人って、ほんとうに頑張るなあと思いますね。

岩田　アメリカに比べて失業者数が圧倒的に少ないですよね。アメリカでは失業保険の申請件数が4千万件を超えたそうですから。

内田　4千万ですか……。アメリカには無保険者が3千万近くいますしね。そういう人たちはどうやって医療費を支払うんでしょう。先日、ワシントン州の男性がコロナで入院したら、1億2千万円の請求書が来たというニュースを読みました。

岩田　アメリカではそれぐらい請求が来ても、少しも不思議じゃありません。僕が研修医をやっていた時代でもICUは一泊千ドル以上かかっていたので、数週間入院したら数百万円です。医療保険を持ってない人がICUに長期入院した結果、家を売って支払いすることになった、なんて話は珍しくありません。

内田　アメリカでは自己破産の原因の6割が医療費だと聞きましたけど。

岩田　アメリカの医療は本当に「金の切れ目が命の切れ目」なところがありますから、一度病気になったら、個人の資産を切り崩しながら自分の命を守っていくしかないんです、たとえ破産してでもね。しかも、アメリカ国民の半分ぐらいはそれを肯定しています。オバマ前大統領が導入を目指した国民皆保険のオバマケアも、大反対で骨抜きにされました。

内田　オバマケアに反対する人のロジックって何なんでしょう。

岩田　自助努力が人間の基本、という考え方でしょうね。「自分のことは自分でするべき」という前提があり、「他人に頼るな」という思想が根強くあります。

内田　リバタリアンですね。

岩田　はい。昔からアメリカは共助の思想に対し、「共産主義的でこの国を滅ぼす」と見なしてきましたよね。1950年代のマッカーシズムやハリウッドの赤狩りなどが典型例ですが、今でも共産主義的な考えに対しては「ザッツ・ソーシャリズム」とか言って、嫌悪感を露骨に示す人が少なくありません。

内田　でも、移民のエスニック・グループの中には互助的なネットワークがあるんじゃないですか？

岩田　あ、それはあります。チャイナタウンの中国人とか、イタリア系の人々のつながりは強いです。感覚的に「ファミリー」という意識なんでしょうね。

内田　そういうエスニックな相互扶助ネットワークがあるんだから、公共的な支援システムが手薄でもいいじゃないかということなんでしょうか。

岩田　トランプ大統領を支持している貧困層の白人たちは、「自分たちはメキシカンや移民の連中のせいで割を食っている」と考えています。トランプはその怒りを巧妙に利用して、グループ間の断絶や対立を煽ることでさらに支持につなげていますよね。アメリカだけじゃなく、日本やヨーロッパでも最近、同じような政治家が出てきてますが……。

感染症に通用しないリバタリアニズム

内田　「国民国家」という制度の本旨からすると、政治家があえて国民分断を煽るということの意味が僕にはわからないのです。国民国家は「国民全体が利害を共通している」というフィクションの上に成立している。自国内にいくつもの集団が分立していて、それぞれ利益が相反しているということになると、国民国家の統合が果たせない。長期的に見ると、国民分断を煽ることは亡国のシナリオなんですけれども、国民分断を利用すれば、短期的には政治的な熱狂を引き出すことはできる。それを利用する政治家がいるんですよね。国民を分断して、「敵には何もやらずに味方だけを厚遇する」という政策をとれば、集団間の利害調整という複雑な仕事はしないで済む。だいたい、すべての国民の利害を調整すると、結果的には「全国民が同程度に不満足」という解しか落としどころがないんですよ。そのような「誰も喜ばない解」を国民に呑ませるためには、国民から信頼されている必要がある。だから、それほど人望もないし、政策構想力もない政治家は、必ず敵味方の対立関係を作り出して、片方だけを利する政策を採用するようになる。それは日本もアメリカも同じですね。

安倍政権下では実際に8年間国民を敵味方に分断して、敵の意見はすべて無視、味方の意見は優先的に採用、「身内」はさらに厚遇という粗雑な政権運営をしてきました。共謀罪、特定秘密保護法、安全保障関連法案……どれも国民の過半が「今、国会で採決する必要がない」とした法案を、反対の声を一切無視して強行採決した。その結果、「政権に反対する主張は何一つ現実化しない」という無力感を有権者に扶植（ふしょく）することには成功した。政治に対する関心を失った人々が大量に生まれた。だから、安倍政権下では、国政選挙でも地方選挙でも、投票率が50％を超えることがほとんどなくなった。有権者の半数は「投票しても、何も変わらない」と思っている。棄権率が50％なら、30％くらいのコアな支持層のためだけの政策を続けていれば、受益者は今の政権の存続を願いますから、選挙には勝ち続ける。巧妙な手口だと思います。

岩田　そうですね。今の自民党支持率が三十数％で、各野党の支持率がそれぞれ5％以下ぐらいですからね。

内田　でも、感染症対策はそうは行かないでしょう。感染症では「自分の支持者だけにいい思いをさせる」という手が使えませんから。国民全員が等しく良質な医療を受けるシステムを設計しないと感染症は抑制できない。でも、「国民全員が等しく受益できる仕組み」というのを構想するのが今の政権は苦手なんです。自分の支持層だけが受益できる政策の立案には長けていますけれど。だから、感染症対策でさえ、つい「身内がそれで利益を得る政策」を優先的に考える。それが習い性となっているので、今さら方向転換ができなくなっている。アベノマスクをはじめ、下手を打った政策は全部そうですね。

トランプもやり方は同じです。自分の支持層に受けるような感染症対策しかしない。そういう偏ったことをしていますから、感染は全国に拡大して収拾がつかない状態になってきた。今年11月の大統領選で、トランプには勝ち目がないと僕は思います。元大統領のブッシュや、その下で国務長官をやっていたパウエル、元副大統領のロムニーといった共和党の重鎮たちですらもう「私はトランプに入れない」と公言していますからね。トランプの巻き返しはあり得ないでしょう。「ブラック・ライヴズ・マター運動」も「トランプ的なもの」に対する国民的な反発だと思います。

岩田　リーマン・ショックの影響で、2011年の9月17日からウォール街で、「オキュパイ・ウォールストリート」というデモが2カ月ぐらい続きましたが、今度のは全米規模ですね。ジョージ・フロイドさんという黒人男性が白人警官に殺されたことがデモのきっかけですが、アメリカの黒人差別は昨日今日始まったことではなく、今まで溜ま

2020年６月４日、ジョージ・フロイドさんのニューヨークでの追悼式。

りに溜まったものが噴出してきた感じですね。**コロナは黒人の死亡率のほうが白人よりはるかに高い**、というデータが出ています。これは遺伝子などの生物学的な原因ではなく、貧困や職業などの格差の反映だと思います。医療サービスも黒人に対しては不十分で、白人に比べて提供される医療の質も低いという研究調査も以前からありまして、積もり積もった差別に対する怒りが爆発したんですね。

アメリカという国は、差別に異を唱えるポリティカル・コレクトネスが非常に厳密なんですが、それって何十年、何百年も有色人種に対する差別が根強く続いてきたからなんですよね。差別がなければ、そんな面倒なルールを作る必要もないわけです。アメリカでは黒人を「ブラック」と呼ばず「アフリカン・アメリカン」と呼ぶのが政治的に正しいとされていますが、僕の黒人の友人は、「黒い人間を黒と言って何が悪いんだ」とそのおせっかいさに憤慨してました。

内田　コロナでこれから世界がどう変わっていくかを予想する際には、どうしてもアメリカがどうなるかが最も重要な情報だと思います。アメリカがコロナの感染者数と死者数が世界最多であるのは、前回の対談で話したように、「医療は商品である」という思想からアメリカが脱却できないでいるからです。

「医療は高額商品であり、適正な価格で購入すべきものであって、金を持たない人間が自分の医療を公金で負担しろと要求するのはアンフェアだ」という考え方がアメリカにはまだ根強い。国民皆保険制度を作ろうとするたびに大きな反対が起こるのも「自分の命は自分で守る。自分の財産は自分で守る。政府は当てにしない」というリバタリアン的イデオロギーを奉じている人がそれだけ多いからだと思います。誰にも頼らずに自立して生きる人間を理想とするのは植民地時代以来の一種の国民性ですし、たしかにそれによって新大陸の開拓が成し遂げられたわけですから、なかなか立派なイデオロギーではあるのです。だから、これを覆すのは容易ではない。でも、このリバタリアン的な発想にしがみついている限り、感染症は制御できません。感染症は個人が自己責任で治癒すべきものではないからです。

医療は個人が、その自己責任において買ったり買わなかったりできる商品ではないということは、古代ギリシャの医聖ヒポクラテスが定めた「ヒポクラテスの誓い」にもすでに明記してあります。「医療者は相手が奴隷であっても自由人であっても、相手の個人的属性によって医療内容を変えてはいけない」とそこには記してある。北米の大学の医学部では、今でも卒業式のときにヒポクラテスの誓いを全員で唱和しているはずです。でも、実際のアメリカ社会は「医療は商品であり、患者の貧富によって診療内容は変わる」という現実がある。現実と誓言がはじめから矛盾してるわけです。アメリカの医療者たちはその矛盾の中で日々医療の現場に立っている。

でも、これはアメリカだけではなくて、医療というものがつねに直面してきた矛盾です。ヒポクラテスがわざわざ「相手が自由人か奴隷かで医療の内容を変えてはいけない」と誓わせたということは、古代ギリシャにも「相手の貧富に応じて医療行為を変えた奴」がたくさんいたということです。そういう医者がいなければ、ヒポクラテスがわざわざこんなことを誓言させたわけがない。昔からずっとそうなんです。医療従事者たちはずっとこの矛盾に苦しんできた。医療は商品なのか、それともすべての人に等しく無償で提供すべきものなのか。この問題には答えがありません。医療者たちはつねにこの矛盾に引き裂かれてきた。

でも、まさにこの矛盾に引き裂かれてきたがゆえに、医師たちは迅速で簡単にできる診察方法を工夫し、安価で有効な治療薬や治療法を発明し、誰でも良質の医療が受けられる社会制度を考案してきた。**いわばこの矛盾を推力として、医学と医療制度は進歩してきた**。そういうものだと思うのです。葛藤の中で人は成熟する。技術や制度もそうです。両立し難い二つの要請に同時に応えようとすることで、イノベーションやブレークスルーが起きる。だから、医療は市場で購入する商品なのか、それとも万人が享受できる贈り物なのかという根源的な矛盾はずっと維持されてきた。それが生産的な矛盾だったからです。

アメリカが今、感染症の広がりの中で医療危機に瀕しているのは、矛盾があるからではなく、**この矛盾について医療者が十分に葛藤しなくなった**からではないかと僕は思います。医療についてのシンプルで葛藤のない解に居着いてしまうと医学の進歩は停止してしまう。

「医療は商品だ」という言明に居着いたら、医療者にとって一番楽な生き方は「権力者や大富豪の侍医になること」です。最高の医療環境で、金に糸目をつけないで医療資源を費消して、たまに一人の患者を診るだけで、安楽に暮らせるんですから。逆に、「医療は無償の贈り物だから、公金ですべてを支弁すべきだ」という言明に居着いたら、医療者たちは医療の経済ということを考える義務を免ぜられる。どういう治療法が最も費用対効果があるのか、どうすれば安価で効果的な医療を実現できるか工夫する義務を免ぜられる。そういうことは誰かが考えればいい、ということになる。だから、どちらに居着いてもダメなんです。葛藤して、苦しまないと、医学は前に進まない。

恐怖が生む分断

岩田　アメリカの医療の裏表は、僕も向こうで研修医だった時代からずっと感じています。一方でバイオエシックス（医療倫理）の研究は、アメリカが世界でも一番進んでいるんです。論文の数も一番ですし、研究費も国からたくさん出ています。バイオエシックスの議論では、例えば「コロナの患者さんが殺到して、人工呼吸器やＥＣＭＯ（体外式模型人工肺）が足りなくなった。どういう優先順位で患者に使用するべきか」のようなテーマを話し合うんですが、「貧乏な人が病院に大勢来たらどうするか」みたいなプリミティブな議論は、わりと抜け落ちているんですよね。本心では自分たちも矛盾に気づいていて、そのことについて議論するのを避けているのかもしれません。アメリカ人って議論好きなようでいて、ある種の問題については考えるのをやめちゃうところがありますから。

一番それを感じたのは、2001年の9・11テロからイラク戦争へ突入するときでしたね。テロが起きて当時のジョージ・W・ブッシュ大統領の支持率が98％ほどに上がって、「イラクが悪いんだからやっつけろ!」みたいな空気が国中を覆いました。「イラクがテロの黒幕だなんてエビデンス、どこにあるの?」なんて言おうものなら、「黙れ!お前は何を言ってんだ!」ってすごく怒られました。同調圧力が強い国といえば日本という印象がありますが、じつはアメリカもパニックに陥ると、強烈な同調圧力が発生するんだなと感じた記憶があります。

内田　アメリカ人はディベートをしますけれど、その目的はお互いの意見をすり合わせて、それぞれの意見をともに包括できるようなよりスケールの大きな仮説を形成するということではなくて、自説を譲らず、相手を打ち負かすことです。だから、いくらディベートしても、そこで得られる知見が最初に「正解」を語った人間の知性の上限を超えることはない。せっかく時間を使って議論したのに、最終的に手に入る知見が「最初からあったもの」ではもったいないと思うんです。それよりは、議論する前に「もしかすると、あなたの言うことにも一理あるような気もする」ということを双方受け入れて、正否の判断をしばらく「棚上げ」して、それぞれの仮説を並行的に走らせて、時間をかけてその帰結を見るということをしたほうが生産的じゃないかと思うんです。

もともとアメリカはその出自から深刻な葛藤を抱えてきて、それを推進力にして成長してきた国なんですよ。その典型が銃規制です。

アメリカで銃規制が進まないのは、市民に「武装権」「革命権」が認められているからです。アメリカ憲法には「陸軍の常備軍を持ってはいけない」という規定があります。独立戦争でイギリス軍と戦った経験から出て来た思想です。常備軍はたやすく時の権力者の私兵となって、市民を弾圧するリスクがある。そのことをアメリカの建国者たちは身を以て味わった。だから、自由人の国に常備軍はいらないと考えた。何か国難的状況に遭遇したら、市民たちが銃を手に「民兵（ミリシア）」として集まり、臨時に軍を編制して戦う。それをデフォルトにした。だから、すべての市民は招集がかかれば、いつでも戦えるように手元に銃を置いた。独立戦争も南北戦争も市民たちはそうやって戦って、そうやって勝った。武装する市民というのは輝かしい成功体験の裏付けがある。だから、銃規制が進まない。

本気で銃規制をするなら、つまり国難的状況に際しても、これからはもう武装した市民を当てにしないということを明言するなら、それと同時に憲法八条十二項の「陸軍の常備軍を置かない」という条項を廃して、「常備軍を持つ」と改定しなければならない。でも、それをすると武装した市民たちが圧政に抵抗して建国したというアメリカ合衆国の根本理念を否定することになる。

常備軍を持たないと憲法には定めながら、実際にはアメリカは世界最大の軍隊を持っているわけです。でも、日本と違って、「現実と憲法の間に乖離（かいり）があるから現実に合わせて改憲しろ」と主張するアメリカ人はいない。いるかもしれないけれど、ほとんど聞こえてこない。それよりは矛盾は矛盾のまま抱え込むことを選んだ。だから、銃犯罪が起きるたびにアメリカ人は建国の理念に立ち還って、武装する市民というイメージの適否について、悩まなければならない。でも、それでいいと思うんです。単一の最終的な「正解」にたどりついて思考停止するより、頭を抱えて苦しみ続けるほうが知性的にも倫理的にも生産的なんですから。

岩田　銃といえば、じつはコロナの問題が起きてからアメリカで銃を買う人が増えているらしいんです。やっぱり今の状況が怖いんだろうな、と思いますね。アメリカは歴史的に暴動が多い国で、大型の台風や地震が起こった後には、必ずといっていいほど暴動、略奪、強盗といった暴力犯罪が多発します。しかも警官に対する信頼も高くないから、「自分の身は自分で守る」ために銃が必要だ、となる。昔、ニューヨークの僕が働いていた病院に警察官が入院してきたんですが、「お願いだから、個室に入れてくれ」と頼まれました。理由を聞いたら「相部屋で俺が警察官だとバレたら、何されるかわからない」と言うんですよ。警官ってそこまで市民に嫌われてるのか、と愕然としましたね。

それはともかく、**コロナウイルスの問題では、日本もアメリカも「恐怖」がいろんな物事を攪乱している**感じを受けています。日本でも例えば、コロナを診ている医療従事者やその家族に対して嫌がらせをしたりする人がいますが、それも恐怖が原因です。神戸中央市民病院で働いているある看護師さんの話ですが、その人の旦那さんが会社の上司から、「奥さんが病院で働くのを辞めさせるか、君がこの会社を辞めるか、どっちかにしなさい」と言われたそうなんです。

内田　それはひどい。

岩田　ひどい話なんて、ヤマのようにありますよ。普段だったら、そんなこと絶対言わないと思うんです。しかし恐怖でパニクってしまうと、社会人としてどう考えてもおかしいことを、つい口走ってしまう。コロナは人間の脳みそを遠隔操作できるんじゃないか、とすら感じますね。

環太平洋地域の低い死亡率

内田　僕はコロナが流行り出す前からもともと「家から出ない男」なのですが、感染が拡大してからはさらに外出しなくなった。講演や対談などの人前に出る仕事が全部キャンセルになったし、凱風館の合気道の稽古も休止になったので、ほんとうに人と会わなくなりました。外に出るのも、近所のスーパーに食材の買い出しに行くくらいですから、感染リスクはきわめて低いと思います。

それで「風邪って本当に感染症だったんだなあ」って実感しました。僕は本当に「風邪引き名人」で、計算するとだいたい年間40日ぐらいは風邪を引いてたんです。9日に1日ペースで熱を出したり、咳き込んだり、鼻水垂らしたりしてたんです。でも、コロナの話が出始めた1月から今まで一度も風邪を引いてない。

岩田　人に会わないからでしょうね（笑）。

内田　そうなんですよ！　手洗い励行して、人に会わないだけで、これほどまで風邪を引かなくなるとは知りませんでした。

岩田　実際にコロナのおかげで、風邪やインフルエンザにかかる人は激減していますね。コロナ感染の増加数も落ち着いてきていますが、日本だけじゃなく、環太平洋地域の国のほとんどは感染対策がわりとうまくいってます。ニュージーランド、シンガポール、台湾、香港、中国、韓国、タイ、ベトナム、いずれも死亡率がすごく低いんです。だから別に、日本だけが取り立ててコロナ対策に成功しているわけじゃないんですよね。

内田　環太平洋地域の死亡率が低いのは、ウイルスの型が違っているせいなんですか。

岩田　原因はよくわからないです。いろんな説がありますが、「**アジア系の人種に比べて、白人やネグロイドは血栓症になりやすいからではないか**」という説が最近言われています。コロナウイルスに感染すると、血栓形成といってあちこちで血の塊ができやすくなるんです。重症化した患者さんは肺の動静脈が血栓で流れにくくなり、それで酸素交換ができなくて呼吸困難に陥るんですね。

アメリカで診察していたとき、僕も日本人とアメリカ人の体質の違いを感じたことがあります。血液をサラサラにする「ワーファリン」という抗凝固薬があるんですが、不整脈の患者さんや、血が固まってしまう血栓症や塞栓(そくせん)症の人に治療薬で使います。その使用量が、アメリカ人と日本人で五倍ぐらい差があるんですね。アメリカ人は多くて、日本人は少ない。平均体重の差を考慮したとしても、明らかに日本人のほうがワーファリンの必要量が少ないんですよ。

内田　日本人のほうが血がサラサラしているということですか……。

岩田　いわゆる「血液がサラサラ」という表現をするならば、そうですね。食事とかいろんな要素があるので、一概に民族や遺伝子の違いが原因とは言えないんですが、欧米人が動脈や静脈の血栓の病気に弱いことは確かです。イギリスやスペイン、ベルギーですごく死亡者が多い理由として、僕自身はかなり説得力のある仮説だと思っているところです。

内田　そういえば今日うちにやっと「アベノマスク」が届きました。岩田先生のところには届きましたか?

岩田　まだです。東灘区が今日届いたなら、うちもそろそろ届くかな。でも僕、内閣府に目をつけられているらしいので、「岩田には届けるな」となってるかもしれない（笑）。

内田　4月1日に「全国民に布製マスクを配ります」と宣言してから2カ月以上経って、ようやくです。

岩田　アベノマスクは実際の効果より、「対策をやった」というイメージ戦略ですよね。コロナ対策に関して大臣や長官がよく、「スピード感をもってやります」と言ってますが、僕はあの「スピード〝感〟」という言葉に違和感を強く覚えるんです。本当にスピードを上げるのか、それともスピード上げてる雰囲気だけを出すという意味なのか、どっちなのって？　「スピード感」と言うと、漫画の集中線で速い感じを出すみたいなイメージがありませんか。

内田　ほんとにそうですね。「スピード感」って要するに「てきぱきやっているように見える」ということですからね。客観的事実じゃなくて、主観的な印象の話です。今の政治は実質よりも見栄えばかり気にしますね。

岩田　少なくともアベノマスクにはコロナの感染を減らしたり、経済を立て直したり、病院関係者の士気を高めたりといった効果はゼロです。うちの夫婦は「2枚布のマスクが配られます」と聞いたときに、ずっこけました。何かの冗談かと思って、怒りを覚えるというより、脱力しましたね。

内田　僕はかなり怒りがこみ上げましたね。限りある予算を優先配分する先として、布マスクを全所帯に配るのって、費用対効果が悪すぎます。政治家というのは、危機的状況に際して、どこから先に手当てするのか、物事の優先順位を決めるのが仕事なのに、その仕事がまったくできない。

岩田　旧日本軍のインパール作戦みたいなもので、費用対効果とかどうでもいいんでしょうね。インパール体質は今の日本にも脈々と受け継がれていて、コロナの感染対策でも物資と人を大事にしないことが浮き彫りになりました。ＰＣＲの検査がずっと足りなかったのも、検査キットややれる人間の確保が不足してたのが一因ですし、医療従事者の防護服やマスク不足もずっと解消されなかった。冗談抜きで、京都の友人のドクターたちは、ゴミ袋を裂いて手製の防護服を着ていましたから。竹槍でＢ29に突撃するみたいな話ですよね。

内田　僕の知り合いのお医者さんも、５月の、医療崩壊寸前の頃に大阪の病院にお手伝いに行ったら、防護服が足りなくて、みんなゴミ袋かぶって診療に当たっていたそうです。

岩田　N95という高性能マスクも、本当は一度使用したら捨てなきゃいけないんですが、何日も使い回してました。マスクにウイルスがくっつくから、危ないに決まってますけど、そうするしかなかったんですね。日本の兵站(へいたん)軽視の伝統は、本当にどうしようもないですね。

他人とずれてよし

内田　前回の対談で、「誰かが得するなら、みんなで損をしたほうがマシだ」と考える人がいる、というお話を岩田先生がされましたが、そういうふうに「一蓮托生」に持ち込んで、最終的に誰も責任をとらずに終わるというのって、日本人の得意技のような気がしますね。「ワンチーム」とか「絆」とかいう言葉を東京五輪絡みでよく聞かされましたけれど、限られた環境でみんなが生き延びようと思うなら、**他人と合わせるんじゃなくて他人と「ずれる」のが基本**なんですよね。たぶん岩田先生もそうだと思うけど

（笑）、僕もすぐ多数派からはずれる人なんです。生まれてからずっと「樹は変だ」と言われ続けてきた。親にもそう言われたし、先生にも言われたし、友だちにも言われた。とにかくすぐに「浮いちゃう」んです。それでずいぶん叱られたし、いじめられたりもした。でも、しかたがないんですよね。「みんなが平気にやれること」が僕にはできないんですから。身体が拒否するので。でも、僕一人が他人と変わったことをしていたからと言って、マジョリティの邪魔をしているわけじゃないんですよ。ただ隅っこにいて、自分がやりたいことをこそこそやっているだけなんだから、放っておいてほしいんですよ。でも、放っておいてくれないんです。必ずそばにやってきて「一人だけ変なことをするのを止めろ」と干渉してくる。どうして、主流派の方たちは「ずれた人」にこれほど不寛容なのだろうと久しく不思議に思ってきたんですけれど、あるときにわかりました。**人と違うことをやってる人は査定になじまない**からです。

前にも書いたことですけれど、院生の頃に、フランス文学会でレヴィナスのことについて発表しようと思って指導教官に相談したら、「止めたほうがいい」と言われた。理由を尋ねたら「レヴィナスの研究をしてる人間が他にいないから」って。日本では知られていない哲学者ですから、ご紹介するつもりで学会発表しようと思ったわけですけれど、誰も知らない哲学者について研究発表しても査定対象にならないと言われた。先行研究がいくつもあれば、それと照合して出来不出来について査定ができるけれど、先行研究ゼロの分野だと、発表そのものが「査定不能」とされる。「業績が欲しければ、みんながやっていることをやれ」と諭（さと）されました。

たしかに、そうなんです。ある時期から若手の仏文研究者が19世紀文学に集まるようになったんですけれど、それはその領域に世界的権威の日本人研究者がいたからなんです。その分野なら、研究業績については客観的で厳正な査定が下る。だから、精密な査定を望む秀才たちはその領域に集まってきた。でも、もともと仏文というのは、中世から現代まで、歴史や詩や小説や哲学など、多彩な領域に研究者が「ばらけて」いたんです。みんなが勝手なことをやっていた時代の仏文は面白かったけれど、特定領域に若い研究者が集中するようになってから仏文の空気が一変して、なんだか重苦しくなった。

結果的に、仏文科に進学してくる学生がいなくなり、仏文科がなくなり、仏文学教員のポストがなくなり、学会そのものが見る影もなく地盤沈下してしまったんですけどね。

岩田　内田先生はその仏文学の衰退の話を、いろんな本でよく書かれていますけど、じつはそれって、日本の学術界全体で起きていることでもあります。ノーベル賞の山中伸弥先生が「阿倍野の犬」という喩え話をよくされるんですけど、「アメリカの犬は頭を叩くとワンと吠えたから、大阪の阿倍野でもアタマを叩くとワンと吠えるかどうか確かめてみよう」みたいな二番煎じの研究が、自然科学分野でもかなり増えているということです。なぜならやはり、査定が簡単だからですよね。論文も書きやすいし、手法も知られているので査読者の覚えもいいんですが、そんな研究には何のイノベーションもありませんよね。

内田　ほんとにね。

岩田　今、大学の運営交付金が毎年1％ずつ削られているなかで、研究者は科研費を獲得するよう、大学側からハッパをかけられています。科研費は「競争的資金」と呼ばれていて、国は「独創的でイノベーティブな研究に交付する」と建前上言うんですが、実際のところ本当にイノベーティブな研究にはほぼ下りないんです。なぜなら役人が査定できないから。

例えば、iPS細胞で山中先生がノーベル賞をとると、「iPS細胞の研究なら科研費がもらえるぞ！」と、みんなで寄ってたかってiPSの研究を始めるんです。2011年に震災が起きたら、防災対策の研究ばかりに科研費が下りるようになりました。そんなふうに右へならえで、同じテーマの研究ばかりが増えていくんです。

そのかん世界を見渡してみると、iPS細胞って再生医療に使うには効率が悪いことがわかってきたので、最近はES細胞を使うのが主流になってます。ところが日本はiPSに掛け金をオールインしちゃったので、今さら方針転換できないんです。内田先生のお話を聞いて、理系分野もこれからどんどん衰退していって、仏文学の後追いをするのではないかと心配になってきました。

内田　**元凶は評価主義**なんです。客観的な査定を行い、格付けをして、それにしたがって限りある資源を傾斜配分するという仕組みそのものがすべての学問領域のレベルを引き下げている。

岩田　大学の医学部では、研修医や学生の成績もできる限り計量的に評価するようにしろ、と圧力がかかってます。しかし、医者としてあるべき振る舞いなんて数値化できないですよね。「客観的な評価ができないことは切り捨てていい」と彼らは言いますが、医学生なんてみんな頭がいいし、点取り虫なので、どうすれば高い評価が得られるか簡単に予測できるんです。でも、それで優秀な医者が育つかというと、非常に疑問ですよね。

内田　そのとおりです。

岩田　今、大学では「360度評価」といって、学生を含めたいろんな人に評価をさせる仕組みを導入していますが、これも「とにかく評価をしさえすれば、見えないことが見えてくる」という考えの表れです。しかしスポーツ選手とか、文学者とか、ミュージシャンとか、優れた人ほど評論家の言うことなんて一切無視してますよね。昔、僕は恩師の微生物学者に、「他人の基準で自分の生き方を決めるな。自分の生き方の基準は自分で決めろ」と言われて、実際にそうやって生きています。

素人のイノベーション

内田　僕は評価主義とはできるだけ関わりたくないんです。だから、「お前を査定してやる」という人が出てきたら、そっとその場から離れる。そういう人とディベートして、「あなたの意見と僕の意見のどちらが正しいか決着をつけよう」というのが嫌なんです。それだと評価主義の再生産にしかならない。あなたと僕のどちらが賛同者が多いかとか、どちらがＳＮＳのフォロワー数が多いかとか、どちらが社会的地位が高いかとか、それを比較することでそれぞれの意見の理非を決するというふるまいは、それ自体が査定なんです。僕はそれが嫌なんです。僕は誰とも論争なんかしたくない。ただ、ちょっと言いたいことがあるので言っているだけなんです。みんな僕の意見に賛同しろとも言わないし、意見が違う人に向かって「黙れ」とも言わない。だから、僕のことは放っておいてほしい。隅っこで言いたいことをぼそぼそ言わせてくれよ、と。それだけなんです。**イノベーションというのはそもそも評価主義になじまない**んです。その成果の価値を測る「ものさし」がまだ存在しないようなもののことをイノベーションと呼ぶわけですから。だから、学術的なイノベーションをほんとうに支援したいと思ったら、やりたいやつに好きなようにやらせて、「放っておく」のが一番なんですよ。

岩田　まったく同感です。うちの娘たちにも事あるごとに、「他人の評価を気にするな」と伝えています。

内田　人の評価は気にしちゃいけません。ほめられようが、けなされようが、右から左にスルーすればいいんです。ほめられて増長するのも、批判されて落ち込むのも、どちらも意味ないです。「行蔵（こうぞう）は我に存す。毀誉（きよ）は他人の主張」。勝海舟の言うとおりです。出処進退は自分で決めるから、評価はそちらで勝手にやってくれ、と。他人の評価なんかどうでもいいよということは、このコロナ禍でますます確信に至りましたね。

岩田　今まさに、コロナの分析や予想をめぐって起きていることとも、それは重なります。ネットを見ていると、日本の1億2千万人、世界の70億人が全員コロナ評論家と言ってもいいぐらいじゃないですか。

内田　そうですね。

岩田　みんなコロナについて、何か語らずにはいられない。それぞれコロナのせいで害を被っているんだから、当たり前です。パンデミックって、そういうふうに「全員」に影響を与えるものなので。

ところが素人がコロナについて語ることを、専門家は怒るんですね。「素人のくせに俺たちの専門領域について、デタラメなことを言って」「テレビにまで出やがって」みたいなセリフをよく目にします。テレビの件は、大体テレビに出られない人が言うんですけど（笑）。

フェイスブックを見ていると、僕の業界の人はすごく怒っているんですよ。みんなが評価主義の塊になって、「にわか専門家がテレビで知ったようなことを言うな」みたいなことを本気で書いている。「そんなに頭にくるなら、テレビを観るのやめればいいのに」と思うんですが。

内田　ほんとに観なきゃいいのにね。それに素人があれこれ言ったっていいじゃないですか。言わせてあげたらいいのに。日本では「半ちく野郎」とか「半可通」とか「一知半解」とか、「半」という字がつく罵倒の言葉が多いんですよね。中途半端な知識に基づいてものを言う人間を徹底的にバカにする。「よく知らないけど、俺はこんなふうに思うんだよね」と言うと、自称専門家が「黙ってろ、素人は！」と頭ごなしに叱りつける。叱られたら黙る。専門家だけが発言権を持ち、それ以外の者は知らないことについては黙る。自分の経験や知識に基づいて、個人的な意見を述べることは「許されない不作法」ないし「笑うべき愚鈍」と見なされてきた。

でも、それっておかしいと思う。半ちくな素人の思いつきがときに思いもかけない創見をもたらすことって実際にあるから。それに僕自身、自慢じゃないけどレヴィナス哲学と合気道以外は、全分野で半ちく野郎なんです（笑）。文学も、映画も、マンガも、能楽も、宗教も、政治も、さまざまな領域でたくさん本を書いていますし、インタビューされたら意見を述べますけれど、どの分野でも専門家というのにはほど遠い。ただ、「このトピックについては、あんまりよく知らないんですけども、ちょっと意見言ってもいいですか？」って、つい手を挙げたくなるんです。ちょっと何か言いたくなるのは、**僕が思っていることを専門家が誰も言わない**からです。誰かが先に言ってることなら僕が繰り返す必要ないです。誰も思いつかないようだから、つい手を挙げて言ってみたくなる。別に定説を覆すとか、常識に冷水を浴びせるとか、そんな攻撃的な意図があるわけじゃないんです。ただ、「こういうふうに考えたら、ちょっと面白くないですか？（よう知らんけど）」というだけのことで。でも、そういう「いっちょかみ」に対して専門家たちって、ほんとうに不寛容なんですよね。「素人は隅にいて黙ってろ」って一喝される。専門家だけが発言できるより、素人が面白がって**次々にいろんなアイデアを出したほうが、結果的に学術的にも生産的じゃないか**と思うんですけどね。

岩田　確かにそうなんです。コロナに関しても今、素人の方から面白いアイデアが出てきています。今朝のニュースで観たんですが、ある学校では熱中症対策とコロナウイルス対策を両立させるために、「子どもたちは傘を差して登校する」ことにしたそうです。日傘で日光が遮られますし、傘を差すことでお互いが近づけなくなるから、ソーシャルディスタンスを保てるんですね。とても面白いアイデアだと感心しましたし、専門家からは出てこない発想だと思いました。

感染症の専門家といっても普段何をやってるかというと、患者さんの検査と薬を出すことがメインの仕事です。だから例えば、「コロナ対策のために、飛行機の空調やエアコンの設定をどうすればいいでしょうか」なんて聞かれても、正確には答えられないんです。航空機内の空調システムまで知悉している専門家は、非常に少数派で、旅行医学という専門分野のさらに細かいエアロメディシンという領域を勉強した人だけです。感染症のプロでもそこまでやっていた人は本当に少数派でしょう。慌てて「にわか」で勉強した人はいると思いますが。

テレビに出ている専門家も、よく知らないことを聞かれたら、慌てて文献を読んでにわか勉強して「10年前から知ってますよ」みたいな顔して言ってる人がほとんどなんですよ（笑）。実際の話、マスクがどれぐらいウイルスを防ぐかといった重要な知識も、前々から勉強してる人はあまりいませんでした。みんな急いで勉強して、にわか専門家として意見を述べているだけなんです。専門家とそうでない人の差は、案外大きくはない。少なくとも、特定のトピックにおいては。

だから、素人といわれている人たちがコロナについてあれやこれや言うのは当然だと思うし、全員がコロナには利害関係があるわけですから、出てきたアイデアは真面目に検討すべきだと僕は思います。

無謬主義の弊害

内田　最近イギリスで、下水に含まれるコロナウイルスの量を測定することで、1週間後から2週間後の感染傾向を予測するという試みが始まっているとネットで見ました。あれなんかはどうなんですか。

岩田　その話は僕もちょっと小耳に挟んだのですが、それほど関心は持たなかったです。

アイデア的には面白いですが、下水のなかでのウイルスの生存率も加味しないといけないので、ちょっと難しいかなと個人的には思います。じつは僕らも、いろんなアイデアを思いつくんです。そのときは「グレートアイデアだ！」って思うんですが、一晩寝かせると「大したことないな……」と思うことがほとんどで。

内田　そうですか。

岩田　いずれにしても今、コロナ対策については学問の専門性を超えてたくさんの意見が生まれていますよね。僕は医療やウイルスの専門家以外の方からアイデアや意見が出てくるのは大歓迎です。ただヒートアップして「あいつの意見は間違っている」と個人を攻撃する人も増えているので、それはよくないと思います。

とくに今、政府関係の仕事をしている医療関係者が何人もネットで個人攻撃されていますが、あれはとにかく止めてほしいですね。「予測が当たらなかった」と言って怒る人も多いですが、予測なんて簡単に当たりませんよ。経済評論家でも、競馬の評論家でも、百パーセント予測が当たってる人なんていないんだから。

内田　そりゃそうですよね。ウイルスの挙動がわからないわけですから、予測がすぱすぱ当たるはずがない。スウェーデン政府はコロナの集団免疫を獲得するという方針を採用したわけですが、結果的に感染者数、死者数が制御できないレベルに達した。政府の責任者はその時点で「方針を間違えました」と謝りましたよね。これは責めちゃいけないと思うんです。政府の責任者が政策の失敗について公式に謝罪するというのはなかなかできないことですよ。

岩田　それが、ちゃんと仕事をしているということです。イギリスも当初はコロナ対策でスウェーデンと同じ方向に舵を切っていましたが、すぐに誤りに気づいて数日で撤回しました。「間違った」という認識があるから、撤回できるわけです。

日本の場合は、コロナの対策会議の議事録も残っていないそうですが、それだと数年後に検証のしようがない。これはたいへんな問題で、ふと、太平洋戦争時のことを想起しました。敗戦後の極東裁判でも責任の所在がうやむやで、何がこの惨状を引き起こしたのか明言する人がいなかったというあの史実です。僕は今、同じ空気を感じます。

内田　太平洋戦争末期にだって、戦争の実情を伝えた公文書は大量に存在したわけですよ。「これが連合国の手に渡ったらまずい」と思ったからこそ、陸軍省の庭で何日もかけて燃やした。それだけの量の公文書があったわけです。でも、今回はコロナ末期になっても、対策の実情を伝える公文書がはじめからないので、失敗を隠蔽するために燃やすものさえない。

岩田　森友学園や桜を見る会の問題で、政府による公文書の改ざんや隠蔽が大問題になりましたが、コロナでは最初から作らないという新しいソリューションが生まれてしまいました……。

内田　きっと公文書改ざん問題から「公文書はできるだけ作らないほうがいい」という教訓を得たんでしょう。財務省と近畿財務局の土地値引きに関するやりとりを残したことで、政府の屋台骨を揺るがす騒ぎになったから、あれで懲りたんです。記録を残さなければ、後から追及されても「忘れました。知りません」で逃げ切れると知った。だから、コロナははじめからその体制だと思います。あとから2020年1月以後の政府の行動の適否を検証しようとしても、資料が何も残っていない。どういうデータに基づいて、誰がどういう指示を出し、どこで機関決定したのかがわからない。だから、誰も責任を問われようがない。

でも、いったいシステムのどこに瑕疵（かし）があったのか、どのデータの解釈を間違えたのか、どの対策が失敗だったのかが一切わからないままにしていると、次の感染症が襲来したときに、政府部内には「すべきこと、してはいけないこと」についての記録が何も残っていない。だから、たぶん今回と同じ失敗を繰り返すしかない。でも、**失敗を認めない科学に進歩はあり得ない。**

岩田　政府や厚労省を見ていると、昔の毛沢東時代の中国の農業政策とか、カンボジアをポル・ポト派が制圧していたときと一緒で、「絶対無謬主義」みたいな印象を受けます。「絶対間違えない」という姿勢は、歴史そのものを止めちゃうことと同義なので、すごく残念です。

ただ今の時代の情報は、ＩＴ化とグローバル化で一瞬に世界中で共有されるので、いくら政府や厚労省が事実や記録を隠蔽しようとしても、海外の人々が勝手に詳細な分析をしてくれるんです。ダイヤモンド・プリンセス号の感染制御の失敗についても、菅官房長官は「適切に対応した」と言い張りましたし、先日は厚労省の偉い人が「日本政府の対応は概ね問題なかった」みたいなことを公言していましたが、すでに論文にまとめられ、詳細なデータとともにいくつもの問題点が検証されています。

内田　ダイヤモンド・プリンセス号の感染は、世界中が注目していましたから。

岩田　はい。ダイヤモンド・プリンセス号の停泊は2月で、武漢の肺炎が減り始めて、イタリアでパンデミックが起きていない時期だったので、世界中が日本を注視していました。国家に関する重要な情報を中央政府が独占できた時代は、議事録を隠したり燃やしたりしてこの世から消去することができましたが、現代のネット社会では世界中の目があるので、隠すのは国の恥を白日(はくじつ)の下に晒すだけです。今の政権がよくやる、のらくらりと「よかった、よかった」で問題をやり過ごす姿勢は、国内ではそこそこ通用しても、海外ではまったく通用しないことを政府関係者は認識してほしいです。

内田　海外からほんとうのところどう評価されているのか、ということを日本人は決して知ろうとしませんからね。「世界中が日本にあこがれている」というような空疎なファンタジーをテレビが朝夕流しているのは、ほんとうはどう評価されているのか知りたくないからでしょう。

スケールとしての国民性

岩田　でものらりくらりしていたのは、日本だけじゃないんです。ブラジルも大統領が「大丈夫、大したことない」みたいな姿勢で国内的に押し切ろうとしたら、感染が爆発して大変な事態になっています。トランプ政権と同様です。

変わったのは中国ですね。僕は2002、03年のSARSのときに中国にいましたが、当時と今はかなり違う国になっていて、「海外の目」をすごく気にしているのがわかります。2003年の中国はまだ「途上国」で、やたら人口は多いけれど世界の覇権をアメリカと競うような大国になるとは、ほとんど誰も認識していなかった。でもこの20

20年の中国は、はっきりとアメリカと肩を並べている、並べようとしていますよね。

とくに経済立国として世界一を目指す上で、アカウンタビリティが重要であることを中国政府は強く認識しているはずです。だからこそ、コロナ対応でも今までの中国なら考えられないくらい、情報を公開しています。もちろん一方で、香港の民主化運動に対して高圧的な対応を取り続けていますから、完全にオープンで民主的な政治を行う国になったとはまったく思いませんが。でも、1989年に起きた天安門事件の頃とはまったく異なります。

内田　中国は国際社会に対しては「開かれた国」であることをアピールする一方で、国内における民衆の監視は、ITを駆使して徹底的に行っていますね。高画質カメラ、顔認証システム、自動テキスト分析、ビッグデータ処理……、AIを市民管理のために抑圧的に活用するという点では中国は世界の最先端ですから。

岩田　中国はそういうことは平気でやりますね。シンガポールもわりと国民監視が好きな国なので、追随する気がしますね。一方、日本は国による監視に対して国民に根強い反発があるので、同じようなことはできないと思います。

内田　中国は世界最大の市民監視国家なんですけれど、それだけ監視にコストをかけるということは、「厳しく監視しておかないと、国民は陰で何を始めるかわからない」という警戒心が政府にあるからだと思います。そうでなければ莫大な予算と人的資源を投入して全国民を監視するシステムなんか作らないですよ。秘密警察、思想警察というのは、本来そんなにマンパワーが要らない仕組みなんです。ゲシュタポも逮捕者のほとんどは隣人の密告によったそうですから。「誰が一番お上に忠実か」を競う社会なら、網羅的な監視システムがなくても、「隣の奴、怪しいです」と密告者が自分から来てくれる。中国がその最も管理コストの安い監視システムを導入できないのは、「誰が中国共産党に最も忠実か」を競うというマインドが市民の間に実はないからじゃないですかね。

岩田　王朝が何度もひっくり返ってますからね。

内田　そうです。異民族の王朝も何度もできてますからね。今も、人種も言語も宗教も生活文化も全然違う人たちが集まって国を作っている。中国共産党は党員数9000万人ですけれど、こうなるともう「国」ですよね。この9000万の党員たちはたぶん「中国」より「党」のほうに強い帰属意識を感じているんじゃないかな。彼らから見たら党員以外の残りの13億人は「同胞」というよりは「気の許せない他人」でしょう。

新疆(しんきょう)ウイグル自治区と香港のことだけがメディアでは報道されますけれど、中国は国内に55の少数民族を抱え込んでいて、それだけで1億4000万人います。日本の人口より多い。そして、どこでも独立運動や反政府活動の火種があります。**中国は多民族国家**なんです。言葉も通じないし、気持ちも通じない人たちと共生しているから、中枢的に管理するために網羅的な監視システムを導入する必要がある。

岩田　「自粛のお願い」だけで、実質的にロックダウンできちゃった日本とはまったく違いますね。

内田　違いますね。日本は無根拠に他人のことを「自分と同じようなやつ」だと思っています。だから、命令しなくても斉一的(せいいつてき)な行動ができるし、マイノリティは「自分とは違う気持ちの悪いやつ」だということで叩かれる。だから、日本では中国のような大規模な監視システムは要らない。それより「自粛警察」や「密告者」に報奨金を出すほうが圧倒的に安上がりですから。

だいたい日本人はどれほどひどい目に遭っても、絶対に革命なんか起こしませんから。秘密警察なんか整備する必要ないんです。現に、安倍政権がこれだけ無策愚策を続けても、誰も「革命を起こせ」なんて言わないでしょう？　でも、中国の場合なら、政策を大きく誤ったり、国民をきちんとグリップできていないとすぐに民族独立闘争やテロの可能性がある。だから、党中央も必死なんです。

岩田　日本も歴史を振り返れば、百姓一揆や暴動も起こっていますし、明治維新もやり遂げたわけですから、民族的にいっさい革命を起こさない体質ということはないと思うんです。でも、東日本大震災のときも感じましたが、理不尽な目に遭っても、黙って耐え忍ぶのが「偉い」みたいな風潮がありますよね。実際コロナも、みんなが少しずつ我慢することで感染を抑えているわけですが。

ただＩＴに関しては、日本の役所はもう少し他国の成功例に学んでほしい。官僚が作ったＩＴシステムって、とにかく使えないんですよ。医療分野でも昔、エイズの患者さんを管理するＡ－ｎｅｔというシステムが多額の税金を使って作られたんですが、まったく役に立たなかった。コロナの給付金申請でもマイナンバーがまったく使えなくて、役所の現場が「マイナンバーの申請は止めてください」と悲鳴を上げたと報道されました。中身が空っぽで役立たないシステムを作ることに関しては、日本の役人は本当に才能がありますよ。

内田　日本では全国民をコントロールするシステムを構想するような「悪魔的な天才」というのは出てこないんです。「電通とパソナに仕事を回してマージン抜いて小銭を稼ごう」というレベルの「せこい」システムを小器用に設計できる小悪人ならいくらもいるんだけれど、「1億2700万人の国民を完全に監視するための「システム」を構想できるような悪魔的な天才が日本の官僚社会のキャリアパスをすいすいと上昇するなんてことはあり得ないんです。

国民全部をネットできる仕組みを作ろうとしたら、人間は何を嫌がり、何に惹きつけられ、何を恐れるのかという人間の欲望と弱さについての深い理解が必要です。人間の欲望と恐怖のツボを押さえないと全国民をネットすることなんかできない。でも、そういう深い人間性理解が日本の役人には要求されないでしょう。だから、日本の役人が思いつく監視システムは「隣組」と「自粛警察」と「密告者」止まりなんです。でも、中国くらいのサイズの国になると、そういう悪魔的な知恵の持ち主が政府部内にいて、国民をどうやってコントロールするか日夜考え続けていると思います。

岩田　アメリカもそうですね。アメリカのNSC（国家安全保障会議）は、9・11以降テロを警戒するために、国内の電子メールとかを全部監視してるという話があります。エシュロンというそのシステムについては、スノーデン氏が何年か前に告発してましたよね。FBIもそういう話を聞きます。アメリカと中国って似た者同士なので、超監視社会であることも通じるんだと感じます。

内田　日本の監視システムは中枢的なものじゃなくて、市民同士の相互監視です。いわば「監視塔のないパノプティコン」みたいなものです。

岩田　江戸時代の五人組みたいな。

内田　そうです。戦時中の隣組、町内会、在郷軍人会、国防婦人会とか。そういう隣人同士のちまちました相互監視システムで特異な行動をとりそうな人間を見張って、何かしそうになったら密告する。中国やアメリカのような市民の自立が前提になっている社会ではそんなことはあり得ないです。そういう社会では、「ラプラスの魔」的な監視主体をはるか高みに構築しないと監視の目が行き届かない。

岩田　個人的な考えを言えば、官僚ってだいたいスケールが小さい人がなることが多いので、そこまで発想を広げられないんです。だって今、情報監視のために、内閣府の官僚がワイドショーをずっと観てるそうですよ。

内田　官僚がワイドショーを観て、世情を視察してるんですか……。

岩田　「神戸大の岩田が何月何日に『ミヤネ屋』でこう言ってた」とか全部パソコンに打ち込んで記録してるそうです。

内田　なんと。でも、その記録採っているのって、在京のテレビキー局だけだと思いますよ。何年か前、総選挙のときに、テレビ局に対して政府から「政治的中立性を保つためにすべての政党の主張は公平に扱え」という通達があったじゃないですか。あのとき、ちょうどMBSでラジオの収録してたんですけど、あれが示達されたのは東京だけで、大阪のテレビ局には来てないと教えてもらいました。東京以外のテレビ局は政府からは「存在しない」ことになっているらしい。道理で、僕たちがラジオでどれほどはげしく政権批判をしても、どこからもクレームが来ないと思いました。関西の深夜ラジオ番組まで聴いて記録するだけのマンパワーが官邸にはないんです。

岩田　ラジオはNHKですらけっこうリベラルですからね。僕は毎朝、NHKラジオのニュースを聴きながら朝ごはんを作ってるんですが、「ここまで言っていいの?」みたいな政権批判を放送しています。テレビのNHKでは絶対あり得ない。僕も政府に批判的と思われているので、NHKのテレビには絶対呼ばれないんですけど(笑)、ラジオのほうは野放図ですね。

アベノマスクへの忖度

内田　結局、メディアに対する締めつけも、大部分はメディア自身の自己検閲なんだと思います。事なかれ主義の人間が上にいるからそういうことになる。「何を話してもいい、何書いてもいい。オレが責任をとる」という人が上にいたら、番組も紙面も風通しがよくなる。それだけのことです。

　メディアでも、実際には全体を網羅的にコントロールしている人間なんていないんです。ただ、時々思いついたように反政府的なアンカーマンやジャーナリストをつぶしにかかる。でも、このランダムな「一罰百戒」的な干渉というのはけっこう機能するんです。誰に、どういう基準で処罰が下るのか、法則性が見えないから。検閲ラインがはっきりしていると、「ここまでは言っても平気」「これに触れるとまずい」ということがわかる。わかれば、みんな「ぎりぎり」を攻めてくる。でも、政府からの干渉がランダムで、そこに法則性がないと、むしろ現場は萎縮する。「これも、これも、全部危ないん

新型コロナウイルス感染防止対策として、安倍内閣により日本国内全世帯に配布されたガーゼ製の布マスク２枚。通称「アベノマスク」。

じゃないか」というよけいな恐怖心が出てくる。今の官邸によるメディア支配はそれで成功しているんだと思います。

「全体を中枢的にコントロールしている主体がいない」というのは、今の政権のあらゆる政策に共通していると思います。アベノマスクのときにもそれを強く感じました。報道されているように、補佐官が首相に耳打ちしたアイデアから始まったことなんでしょうけれど、言い出した補佐官にしても、別にきちんとした根拠があったわけじゃないし、実施した場合の費用対効果についての試算があったわけでもない。ただ何となく言ってみただけ、なんだと思います。そしたら、それが首相に採用されてしまって、巨額の予算がついた国家的事業になった。でも、これだけの予算を投じ、これだけの人間や組織が関与した事業について、その全体を把握している人間がどこにもいなかった。

岩田　「アベノマスクのおかげで不織布のマスクの値段が下がった」という何の根拠もない主張がありますが、そんなわけはないです。

内田　マスクを受注した会社の一つに、福島の小さな会社がありましたね。何の実績もないプレハブ建ての会社が国と随意契約を結んで、30億円も流れ込んだ。だからツイッターに「これは誰が見てもダミーのトンネル会社だ」と書いたら、その会社の社長さんと称する人からメールが来て、「うちはトンネル会社じゃありません。私は堅気の商売人です。ご不審ならいつでもこの電話番号にかけてください」と電話番号を書いてよこした。

岩田　社長から電話があったんですか。

内田　メールが来たんです。トンネル会社じゃなくて、ちゃんと輸入業をしているんだと社長は言うんです。でも、マスク輸入について実績ゼロの会社が、どうして伊藤忠など並んで政府と随意契約を結ぶことができたのか、そのプロセスがぜんぜんわからない。

岩田　マスク配るのに、これだけ時間がかかっちゃうわけだ（笑）。

内田　最初は政府部内の誰かとつながりがあって、そいつにキックバックする約束で発注を受けたんだろうと疑っていたんです。記者たちだって、そう推理したはずです。でも何も続報がない。ということは、政府が「どこでもいいからマスクを輸入できる会社を」と探し回って、偶然ここにたどりついたというのが真相だということになる。いったい誰がこの会社を政府につないだのか、誰がこの会社を選定したのか、誰も知らない。今回のコロナ対策全部に共通するところですね。「この政策は私が立案したので、私が全容を把握しており、成否の責任も私がとる」という人がどの政策についても存在しない。誰が立案したかわからない。誰も全容を把握していない。だから、誰も責任をとらない。

政府のコロナ対策が遅れたことに関して、「目詰まり」があったという言葉が言い訳で使われましたが、アベノマスクにまつわる一連の出来事で「目詰まり」の構造が僕はわかりました。

日本政府はたしかに上意下達（じょういかたつ）の組織ではあるんです。上位はたしかに下達されてはいるんです。でも、下に上意を実行する権限が与えられていない。だから組織的にフリーズしている。

官邸は「感染症に何とか対処しろ」という命令はたしかに出していると思うんです。でも、それがただ順送りで下へ下へ「何とか対処しろ」と伝達されるだけで、どのセクションが何をするのかについての具体的な指示は上意には含まれていない。現場はいわば「丸投げ」されているわけです。でも、ご存じのとおり、上意下達組織では、現場が自己裁量でものごとを判断することは許されない。だから、上意を実現するために下が何かしようとするたびに「とりあえず上に聞いてみないと」ということになる。指示が間違っていた場合に、責任を取らされるのは現場ですからね。それが嫌だから、必ず「ほう・れん・そう」で上の確認をとる。それが順送りで上まで行って、「バカやろう。

何をぐずぐずしているんだ。早くなんとかしろ」という上意が戻ってくるんだけれど、そこにも具体的に誰が何をするのかの指示が含まれていないので、下は固まったまま……。それが日本社会における「目詰まり」の構造だということがわかりました。

岩田　コントロールの件もそうですし、アベノマスクに関して一番ショックだったのは、内閣からも厚労省からも誰一人「こういうバカなことはやめたほうがいいですよ」と声を上げる人間がいなかったことです。

内田　一人もいなかったというのが驚きですよね。

岩田　じつはアベノマスク以降、専門家会議も厚労省も、マスクについてはほとんど何の発表もしてないんです。最近ようやく気温が上がったので「マスクをつけたままでいると熱中症になる可能性があるから、2メートル以上距離があるときはマスクを取ってもいいです」というアナウンスをしました。でもそれまで3カ月近く、マスクについては一言も言及していません。その間、WHOやアメリカのCDCはマスクに関して何度もバージョンアップした情報を発表して推奨しているのに、厚労省はピタリと口を閉ざして何も言わなかった。僕は、これはほぼ間違いなく忖度だと思います。

内田　アベノマスクへの忖度ですか？

岩田　首相肝いりの施策に対して、「布マスクはつけても意味がありません」とか言えないじゃないですか（笑）。

内田　それでマスク自体、話題にしないことにしたわけか。

岩田　多分、「マスクについて、口を出すんじゃないぞ」といった強制や命令はさすがに政府もしてないと思いますが、恐らく勝手に自分たちで忖度したんでしょうね。

内田　厚労省にしても専門家会議にしても、現政府に対して言うべきことは言うというタイプの人は、その前の段階でブラックリストに載せられて弾かれているんでしょう。

岩田　まあ政府の人たちも、コロナ対策については経済活動と感染予防を両立しなきゃならないので、難しいのもわかるんです。経済を優先すれば感染が広がりますし、両者はトレードオフの関係なので、舵取りはすごく困難です。僕ら感染症の専門家も、経済的な問題をもちろん軽く見ているわけではなく、とても大事だと思っています。

ただ、感染対策をしっかりしないと経済活動も立ちゆかなくなるのは、世界を見ていても明らかです。感染者が街中にあふれるようになれば、ディズニーランドみたいなテーマパークはもちろん開けないですし、飲食店なんかも閉めざるを得ませんから。「感染症の専門家が経済を邪魔してる」といった感じで非難されることも最近多いですが、**ウイルスが広がると経済自体が立ちゆかなくなる**、ということは何度でも強調しておきたいですね。

最近わかってきたことが、各国のロックダウンはめちゃくちゃ効果的だったということです。昨日の『Ｎａｔｕｒｅ』に論文が出てますが、イタリア、フランス、スペイン、イギリスなどすべての国で、ロックダウン後に感染者がドーンと減ってるんです。ただしロックダウンの効果が出てくるまでには、だいたい2週間ぐらいのタイムラグがあります。ロックダウン後もしばらくは感染がワーッと増え続けるので「効果がない」と言われたりもしたんですが、後日きっちり調べてみると、ロックダウン以前と以降で感染がドカンと減ったことが明確にわかりました。スウェーデン型のコロナ対策の失敗は明白で、やはりコロナ対策にロックダウンの効果はすごく大きいんです。

日本でも今後、第2波がやってきたときに「緊急事態宣言は意味なかった」などと言って、再びの自粛要請に反対する意見が出てくると思います。そのときはきっちり、各国のロックダウン効果のデータをもとに、議論してほしいと思いますね。**コロナは科学で扱える問題であり、科学的な態度とは、事実に対して背を向けないこと**ですから。それがたとえ、都合の悪い事実でも、きちんと直視することが大切です。

第３章

偶発性とともに生きる

2020年７月６日、凱風館にて

専門家会議廃止の顚末

内田　6月24日に西村康稔（やすとし）経済再生相の記者会見で専門家会議の廃止が発表されました。そして、新たな助言組織ということで、「新型コロナウイルス感染症対策分科会」が設置されましたが。

岩田　多分あれは、「一度リセットしよう」という判断でしょう。僕の推測では、「政治的なステートメントは政治家が出すべきだ」という考えに収れんさせたんだと思います。4月以降、専門家会議メンバーのSNS発信が注目を集めたり、会議メンバーではない西浦博先生の意見が物議を醸したりと複数の情報発信が存在感を示したので、それらをリセットさせたかったのだと。その後にできた分科会も、メンバー的にはそんなに変わってないらしいので。会長は、専門家会議で副座長を務めた尾身（おみ）茂先生です。

内田　そもそも専門家が分析するデータや数値というのは、政治的なステートメントを出すための合理的な根拠として必要なものですよね。それを廃止するということの意味がわからないんです。つまり、政策的判断のスクリーニングを経由しない「生の情報」が専門家会議から漏れることがあったので、専門家のコメントと政府のステートメントの間に不整合が生じないように、専門家会議を廃止した。僕にはそういうふうに見えます。つまり、これから政府が政策判断の根拠として開示するデータは、すでに決定した政策を正当化するために事後的に作成されたものだということになる。まず政策決定があって、それに合う疫学的データを作り出す組織を作ろう、というようにしか見えないです。

岩田　だいたい厚労省が招聘する委員会にしても、誰からも文句を言われないメンバーで作ろう、といつもなっちゃうんです。

典型的な前例は、B型肝炎ワクチンの委員会です。B型肝炎ワクチンは、世界最初のがんのワクチンです。多くのがんは感染症が原因で起きてまして、例えば肝臓がんは、ウイルスとお酒が基本的な原因なんですね。で、ウイルスの原因は主に二つ、B型肝炎とC型肝炎です。そのうち、C型肝炎のワクチンは未だにありません。でも、B型肝炎にはめちゃめちゃ効くワクチンがあって、これはもう全世界で打ちまくりましょう、という流れが1980年代ぐらいから始まっていたんです。

ところが日本では、「B型肝炎の感染経路は、母子感染だけだ」と頑なに信じられていました。完全に間違いなんですが、それで妊婦さんだけチェックすれば問題ない、すべての子どもに打つ必要はない、と言い続けられてきたんです。つまり、日本は世界の流れと完全に逆行してきたわけです。

日本でも一応、ワクチンについて議論するための委員会が国内でつくられたんですね。そういう場合、例えばアメリカだったら、ACIP(Advisory Committee on Immunization Practices)といってCDCの諮問機関が該当するわけですが、基本的に専門家集団になります。例えば小児科の先生、ワクチンの専門家、家庭医という街のかかりつけのドクター、産婦人科や感染症のドクターといった十何人のメンバーが集まって、みんなで投票したりしながらワクチンの対象者や取り扱い方を決めるんですね。

内田　当然でしょうね。

岩田　ところが、日本の委員会はそうではありませんでした。関係者全方位というか、どこからも文句が出ないように委員を集めたんです。例えばジャーナリストとか、B型肝炎ワクチンのテクニカルな議論とはまったく関係のない人々も入っていました。でも、そういう人たちを委員会に組み込んでおかないと、世間が納得しない。要するに日本は、問題をどう解決するかよりも、その場をどう丸く収めるか、というのを会議の目的にしているんですね。

今回の専門家会議廃止も、事を荒立てるよりは……えーと大体、僕も含めて専門家って事を荒立てるので（笑）、「もっと後ろに引っ込んでなさい」と言われたわけです。あなたたちはデータを我々にこっそり教えてくれればいいので「表に出るな」と。結局、新しく出てきた方々は、パブリックに評判がいい人たちです。そういう方々で状況を刷新しましたよ、ということだと思います。

内田　それに、経済をどんどん回していきたいという世論にも耐えられなくなって。

岩田　そのとおりです。結局、専門家というのは「まずは、きちんと感染症対策を」という結論になっちゃう。そういう意見を抑え込もうとしたんでしょうね。

内田　抑え込むのはおかしいでしょう。感染症に関するデータと、経済活動に関するデータの両方が出てくるわけですから、それらの客観的な数値に基づいて適切な判断を下していくのが政治家の役目です。感染症と経済活動なんて、もともと同じスキームでは絶対に論じられない事柄なわけで、同じスキームでは論じられないことを、無理やり論じて、ことの優先順位をつける仕事がポリティクスなんですから。

判断するのが仕事なんですから、判断の基礎になる事実に勝手に変更を加えちゃいけないんです。**データは解釈される前の生のものでなければ、意味がない**。生データを解釈するのが仕事なのに、判断を先取りして解釈された後のデータが出てくるのじゃ、仕事にならないじゃないですか。それって要するに、後で判断ミスがあったときに責任を回避するための下ごしらえですよね。生データが示されてそれに基づいて下した判断が間違っていたら、それは解釈した政治家の責任になる。でも、政治家が見たデータがすでに「汚れて」いたら、そういう歪められたデータに基づいて判断を下した政治家のミスは免罪される。そういう間違ったデータに基づいて判断したんだから、間違って当然だということになる。日本の政治家も官僚も、とにかく「責任を取りたくない」ということを最優先に配慮している。その切実な責任回避志向が、今回のパンデミックで、すべての政治判断に伏流していると思いますね。感染症を抑制することよりも、経済を回すことよりも、「責任を取りたくない」というエゴイズムが最優先している。僕にはそう見えます。

感染症というのは科学的な出来事なんですから、責任云々よりも先に何よりもまず解釈を加えられる以前の客観的な事実を提示してほしい。その上での判断が仮に間違っていたとしても、それは仕方がないです。そういう判断を下す政治家を選んだのは国民自身なんですから。でも、専門家会議の廃止というのは、そういう物事の当たり前の順序を逆転させてしまっているように見えます。これはアメリカも同じですね。

岩田　ええ。アメリカもＣＤＣが「こうするべきだ」とか、ＮＩＨ（国立衛生研究所）のファウチ博士が「それは間違っている」と言っても、トランプ大統領が全部チャラにしてしまって、「どんどん経済を回せ」となって、今、テキサスやフロリダではものすごい感染者数になっています。「科学よりも政治」というスタンスが、アメリカと日本では完全に明らかになったと個人的には思っています。

対策とはブロックである

内田　コロナに対する日本の対応は、すべてにおいて逆転してる気がします。決定事項がまずあって、それを正当化させるために都合のよいデータを探してくる、あるいは都合の悪いデータを隠蔽する。

「東京アラート」や「大阪モデル」なんて、もう単なるフィクションですからね。基準があるとしたら、あくまでデータに基づくべきなのに、データの解釈をそのつど変えてしまう。それならそれで、「基準なんかありません。そのつど総合的に判断します」と正直に言えばいい。でも、そう言ったら知事が責任を取らなければならない。責任は取りたくない。だから、そのつどふらふら解釈が変わる「基準」を盾にしている。

岩田　「東京アラート」は、やめちゃいましたよね。6月19日に、全面解除になりました。

内田　でも、東京は今、最大の感染者が出ているところでしょう？　そこが感染症対策のレベルについての行政側の基準をなくすというのは、あり得ない話です。要するに、何の基準もないまま、そのつどの風向きで対処してゆくと宣言したということですよね。

岩田　まあ、そうですね。ただ、幸か不幸か都知事選が7月5日に終わったので、そろそろ東京都は動きだすんじゃないでしょうか。

内田　それにしても東京は、今後の感染症対策のグランドデザインがまったく見えてこない。端的に言えば、このまま首都圏への一極集中を続けるのか、それとも首都機能を分散させるつもりなのか、その展望が語られていない。東京五輪はあきらかに資源の東京集中と東京発の経済浮揚をめざした計画でしたから、大筋ではこれからも首都圏への一極集中をめざすつもりでいると思います。でも、感染症対策を考えるなら、人口を地方に拡散させて密集を避けること、首都機能を分散させること、東京都民もできる限りライフスタイルが「ばらける」ようにして、斉一的な生産行動・消費行動をさせないことなどが必要になる。でも、東京都知事からはそういうスケールの巨視的な感染症対策はまったく見えてこない。

むしろ、これからの人口減少・超高齢社会にどうにかして経済を回そうとすると、狭いところに人を集めるしかない。僕は「日本のシンガポール化」と言っていますけれど、人口が減っても、狭いところに押し込めれば、都市生活の外見は今と変わらない。あいかわらず人々は満員電車に乗って通勤し、繁華街は人であふれているから、ちょっと目には経済活動が活発に営まれているように見える。でも、それは首都圏以外の土地はもうほとんど人が住んでいない「無住の荒野」が広がっているということの代償として手に入った風景です。大都市圏以外の土地には、交通網も通信網も上下水道もライフラインも、何も整備しない。行政機関も、医療機関も、学校も、何も置かない。「過疎地に過分な行政コストはかけられない」と言えば、国民の過半はそれに賛成するでしょう。そうなれば、もう過疎地に人は暮らせなくなる。ふつうに文化的な生活を送ろうとしたら都市部に引っ越すしか選択肢がない。そうやって人口を集めれば、経済はなんとか回せるでしょう。だから、政府も財界も、大筋では「大都市圏への資源一極集中・地方切り捨て」を前提にしたグランドデザインに従って動いている。でも、現段階ではそれは広言できません。「地方は切り捨てます」と今の段階で宣言してしまったら、選挙でぼろ負けして政権を失うことが確実だからです。だから、無言のまま、国民的な議論を忌避したまま、大都市への、主として東京への資源の一極集中路線を邁進してきた。

でも、今回のコロナ・パンデミックでそのグランドデザインがつまずいてしまった。人が密集すると、感染症は抑制できない。減らせば、経済は回らない。だから、たぶん富裕層は「都市への一極集中は維持するが、自分自身は都市から逃げる」という生き残り策をとり始めていると思います。17世紀ロンドンのペストでは市民の約四分の一が死にましたけれど、貴族や金持ちは感染初期にはやばやとロンドンから逃げ出して、田舎の別荘に引きこもって難を逃れましたから、同じようなことはもう東京でも起きているかもしれない。

いずれにせよ、**東京をこれからどうするつもりなのか、人口減少と感染症という二つの難問にどう答えるべきなのか**、これが東京に突きつけられた喫緊（きっきん）の問いなわけです。にもかかわらず、「こういう難問があります」ということそれ自体がアナウンスされていない。問題が意識されていないんですから、解決策が出てくるはずがない。

岩田　僕もそう思いましたよ。都知事選の小池さんの圧勝を見て、やっぱりサイレント・マジョリティは現状維持を望んでるんだなって。ネット上ではいろんな人がいろんなことを言いますが、多分、東京都民のほとんどの人たちは今のまんまが一番いいと思っているんでしょう。

でも、今現在、東京都の感染者数は深刻になっていますから、今週あたりから対策に本腰を入れるんじゃないかと僕は見ています。

内田　具体的にどういう対策があり得るんですか。

岩田　一番考えられるのは、「東京都から出るな」という要請です。小池都知事と西村経済再生大臣も同じことを言ってますが、東京から全国に広がるのをどうしても阻止したい、とにかく東京だけの問題に抑えたいということです。ですから、外出規制や移動規制をどれだけ本気でやるかは、今後の情勢次第だと思いますね。

先程も言ったように、感染数を抑えるためには感染対策をするしかないんです。PCR検査をたくさんやろうがやるまいが、感染者の数を減らす努力はしないといけない。そのためには感染経路をブロックするしかない。ブロックにはいろんなバリエーションがありますが、**基本的には人から人への感染を遮断すること**です。

ですから、どうしても何らかの行動抑制が要るんです。どれくらいの規模や形態にするのかはわかりませんが。きっと、すでにいろんな方面からの横槍が入ってると思うので、対策が骨抜きにされる可能性も高いですけれど。

内田　専門家会議も廃止されましたし。

岩田　そうなんです。最大の問題点は、専門家がこれから多分、積極的にコメントをしなくなることです、政治的な忖度をしてね。あの廃止には、「政治家が気に入らなければ、あなたは排除されますよ」という隠れたメッセージが込められています。もちろん、

「隠れた」メッセージゆえに、誰もそうとは明言しませんが。忖度とは、「お前、わかってるよな」という目配せであり、ほのめかしなので、あとから誰に何を言われても、「いやいや、私はそんなこと言ってませんよ」、と言い逃れることができる。無責任体質の作り出した無責任容認システム、これこそが忖度の正体です。

専門家は「私の耳に心地よく響くようなことだけ言ってろ」という隠れたメッセージを政治家の目配せに読み取り、忖度する。データにしても、「気持ちいいものだけ出せ」と。気持ち悪いデータは出さない。

内田 僕もそう思います。

岩田 ダイヤモンド・プリンセス号の一件は、まさにそうでした。2月19日にNIID（国立感染症研究所）の報告が公表されましたが、18日までのデータで船内感染はほとんど起きてないと報告して、それ以後の（二次感染が起きていたという）データは一切出しませんでした。多分、これからも同じようなことをする可能性は高いでしょう。あるいは、政府や厚労省が直に言わなくても、分科会の人々が忖度してデータを出さない可能能性がある。「明らかにあなた方は間違ってますよ」と政府に直言する人は、まずいなくなると思います。そういうタイプの人はすでに、選ばれていないでしょうし。

インバウンドと感染症

内田　昨年まではインバウンド消費を見込んで京都や大阪にも新しいホテルがどんどん建設されていましたが、あれだけいた観光客が、一気にいなくなりました。訪日外国人数は、前年同月と比べて99・9%減というすさまじい数字です。海外との行き来は、しばらくはもう元には戻りませんか。

岩田　ちなみにこれはコロナ以前から医療現場で言われていた問題なんですが、インバウンドが増えると感染症のリスクが増すんですね。外から持ち込まれるリスクも高いし、国内で起きている感染症に来訪者が感染するリスクもあります。前回2016年のリオデジャネイロオリンピックのときは、ジカ熱というウイルス感染が流行していて、開催が危ぶまれました。グローバル化が進んで人の移動が激しくなると、当然起きる問題なんです。

昔と違って現在は人の動きが激しいので、オリンピックや万博というマスギャザリング（集団形成）で、海外の感染症が簡単に国内に入ってきてしまいます。逆もまた然りです。日本のなかの感染症が外国の人に広がってしまうのも、とても大きな問題です。

例えば、日本では未だに風疹の流行がなくなりませんが、本来であれば予防接種で根絶できる病気です。先程述べた、肝臓がんとか子宮頸がんにしてもそう。みんなワクチンでほとんど予防できるんですね。ですから観光需要の話題と同レベルで感染症対策を議論してほしいと僕らはずっと前から言い続けていたんですが、結局、ずっとほったらかしにされてきた。東京オリンピックを招致するときに、安倍首相が福島はアンダーコントロールされていて、東京には影響はないと言いましたよね、当時僕らはそれを聞いて、「でも、風疹リスクはヘッジできてないよね」と思いました。2013年に風疹が流行り、先天性風疹症候群の子どもが生まれても、国の予防接種制度の改善は遅々として進まず、今も風疹は日本で継続する問題です。若いアスリートたちが大挙するオリンピックで、風疹が流行するリスクはなんとしても回避せねば、と僕らはコロナ以前から懸念を表明していました。

内田　安倍首相は、新型コロナウイルス感染症対策本部の本部長なのに、最近は記者会見もせずに存在感がまったくないですね。

岩田　先週ぐらいからの世論を見ていると、「感染症はもうええわ」みたいなノリに日本はなりつつあると感じます。幸か不幸か、重症者と死亡者が海外に比べると日本は少ないですからね。

とはいっても、900人ぐらいの方がすでに亡くなられているわけです。人が900人死ぬ感染症は、決して甘く見てはいけません。よく、「インフルエンザや肺炎で、もっと多くの人が死んでるじゃないか」って言う人がいるんですが、未知の感染症で900人が亡くなるというのは非常に大きな問題です。そして、この問題を看過してしまうと死者はもっと増えてしまう。

数字の解釈というのは難しいんですね。死亡者数というのは、特に難しい。もっとた

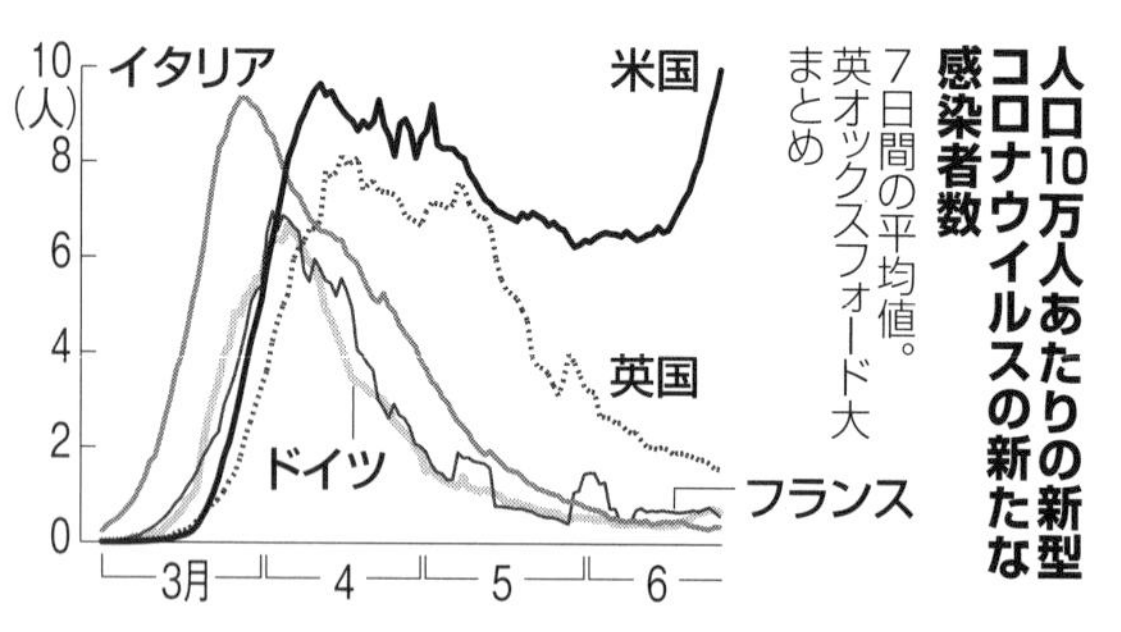

2020年６月下旬時点での人口10万人あたりの新型コロナウイルスの新たな感染者数。出典：朝日新聞（2020年６月28日付）

くさんの死者数が出ている問題と比較して、「あれよりずっと、ましじゃない」みたいに相対化してしまったら、本質的な危険性を見失ってしまいかねません。アメリカなんか、ものすごくたくさんの方がすでに亡くなられていますが、数字が膨大になったらなったで「もういいや！」みたいなノリになる恐れもあると感じます。

内田　アメリカの感染は、現状では収まりそうもありませんね。どんどん拡大して、死者がもう13万人。

岩田　収める気がないですね、もうすでに。

内田　トランプには感染を収束させる気はないようですね。でも、彼の任期は来年1月まで続きます。仮に11月の大統領選でバイデンが勝ったとしても、感染対策の転換には時間がかかるでしょう。とりあえずあと半年以上、「コロナは大したことない。すぐ消える。気にするな」と公言する人物が大統領職にあるわけですから、最終的には年末までにアメリカでは死者25万人とか、もっと高いレベルまでゆく可能性があります。するとアメリカが「鎖国」状態になるわけです。いくつかのステートはすでに「鎖州」状態ですが。

岩田　アラバマやフロリダなどの8州からニューヨーク、ニュージャージー、コネチカットの東部3州に入るときに2週間の自主隔離が求められている状態です。

内田　これはもう「鎖国」と言っていいと思います。日本もヨーロッパ諸国もそれに近い状態ですが。

岩田　これがいつまで続くか、まったく先が見えません。

内田　仮にアメリカで感染症対策が初期から適切に行われていて、早い段階で感染が収束していたら、アメリカをハブにしていろんな対策がとれたと思うんです。アメリカなら使えるカードがたくさんあった。ところが、フランシス・フクヤマの言う「近代史上最も愚鈍な大統領」のせいで、感染症対策で致命的な後れを取り、結果的に感染者数でも死亡者数でもアメリカが世界ワーストワンということになった。本来なら国際社会のリーダーシップをとるべきアメリカが、自業自得とは言いながら、何もできない状態に陥ってしまった。

アメリカがこのざまでは、この後、世界経済がコロナ以前に戻るということは、もうないような気がするんです。今のような状況を「そういうこともあるかもしれない」と思ってシミュレーションしたエコノミストなんて、たぶん一人もいなかったと思う。たしかに、「パンデミックが起きて、アメリカが鎖国状態になった場合、世界経済はどうなるか？」なんていう設定でまじめに考えたエコノミストなんているはずないですから。

だから、「今何が起きているのか、これからどうなるのか」をそれなりに正確に把握できている人は今の段階ではほとんどいないと思います。航空会社やホテルチェーンの株価が下がるだろうとか、失業率が上がるだろうくらいのことなら誰でも予測できますけれど、グローバル資本主義が生き延びられるのかどうかについてはエコノミストたちの予測はばらばらです。大変動が来るという人もいるし、何も変わらないと強弁する人もいる。そして、どちらもたしかな根拠があってそう言っているわけではない。**「これから何が起きるか」については、誰もわかっていない**と思うんです。

空母もダメ、原潜もダメ

岩田　アメリカが鎖国チックな状況で孤立する一方で、中国が今、「スーパーパワーの肩代わりをしよう」というノリになってますよね。ここぞとばかりに「海外に支援するぞ」とか言って。

確かに、中国がいまや一番元気といえば元気で、ヨーロッパも感染が全然抑えられてないし、ロシアもかなり感染が拡大しています。ですから、世界全体を見渡すぐらいの余裕があるのは中国ぐらいかもしれません。内田先生は、これからの世界の仕組みはどのくらい変わると考えていますか。

内田　おっしゃるとおり、鍵になるプレイヤーは中国だと思います。アメリカが身動きできない状態で、中国に相対的に外交上のフリーハンドが与えられた。この見通しはだいたいどなたも異議はないと思います。

アメリカが鎖国状態ですから、当然中国は「これまでアメリカが介入してきてできなかったこと」を次々と本格化するでしょう。先月の香港に国家安全維持法を導入した件もそうだし、東シナ海、南シナ海での国境侵犯も増している。

でも、僕たちはつい自分たちに関係のある東アジアのことばかり気にしますけれど、**注目すべきは「一帯一路」勢力圏**です。陸路をまっすぐ西へ向かうシルクロード経済ベルトと、海路を南下して、マラッカ海峡からインド洋、紅海を経由して東アフリカへ向かう21世紀海洋シルクロード、この「中華帝国」の版図(はんと)を西と南に広げる広域経済圏構想がコロナ・パンデミックで加速する可能性があると僕は見ています。

シルクロード・ベルトは、新疆ウイグル地域から、カザフスタン、ウズベキスタン、トルクメニスタンからトルコに至るスンニ派トルコ系民族の土地です。中国はここに巨大な物流のハイウェイを通すつもりでいますが、そのためには周辺国との友好関係が不可欠です。これらの国々でのコロナの感染状況については十分な情報がありませんけれど、公衆衛生がそれほどよくないので、感染が広がると医療崩壊が起きるリスクがある。ですから、中国はこれらの国々には経済支援と医療支援を並行して行うだろうと僕は予測しています。とりわけ医療支援は全国民に関係のあることですから、親中感情の醸成にはきわめて効果的です。ですから、アメリカが身動きとれないときに「今がチャンス」と友好国づくりを進めてゆくと思います。

アメリカがきついのは、「鎖国」が軍事行動にまで及んでいることです。アメリカ海軍の原子力空母「セオドア・ルーズベルト」が新型コロナに集団感染して、6月に作戦行動を中止して帰港したという事件がありました。

岩田　空母のような環境は、感染症とかなり相性が悪いんですよね。

内田　軍艦というのは、狭い空間に斉一的な生活様式を共有する大量の兵士を詰め込むわけですから、最も感染リスクが高い環境です。となると、今後、空母や戦艦の運用にかなり規制がかかることになる。「いつ使い物にならなくなるか、わからない」という条件で海軍の作戦行動を考えなければいけなくなる。となると、**これまでのような通常兵器による戦争は難しくなる**ということです。

岩田　原子力潜水艦も感染症に弱いです。原潜は感染対策には一番難しい場所で、あそこでアウトブレイクが起きたら為す術もありません。

内田　ああ、そうですね。原潜のリスクはクルーズ船どころじゃないですね。そうなると、空母も使えない、原子力潜水艦も使えない。アメリカは国防戦略を一から書き換えなければいけなくなります。

21世紀に入ってからも、SARS以後、数年に一度、新しいタイプの感染症が流行しています。それほどの被害をもたらさずに収束する場合と、今回のように非常に大きな影響を与える場合がある。どの程度の毒性の強いウイルスが、どういう間隔で、どこで発生するか、予測できないわけです。おそらくパンデミックは少なくとも10年おきぐらいに今後も繰り返し来る。人獣共通感染症は、人間たちが経済成長を求めて、環境破壊を止めない限り、止まらない。

軍事について言うと、コロナ以前からすでにアメリカはＡＩ軍拡競争では中国に後れを取っています。米軍の戦闘管理ネットワークを標的とする電子的攻撃、サイバー攻撃で、すでに中国はアメリカに一歩先んじているというのは、米側の共通の認識です。２０１７年の段階で、ランド研究所の報告は「米軍は次に戦闘を求められる戦争で敗北する」と結論づけていますし、統合参謀本部議長自身も米軍がこのままの装備や軍略に固執していれば、遠からず中国に対する競争優位を失うと警告しています。そこに、コロナが来た。もともと戦闘管理ネットワークへの撹乱攻撃を効果的に防げないのではないかという不安があるところに加えて、通常兵器による制海権・制空権の確保さえ危なくなってきたわけです。だから、アメリカは実は国防戦略の根本的な書き換えを今求められているわけです。おそらく国防省のスタッフたちは今夜も寝ないで新しい国防計画を起案しているんじゃないでしょうか。

日本のメディアはアメリカの経済のことは記事にしますけれど、アメリカの軍事には触れない。報道しないし、分析もしない。きっとその領域は日本のメディアにとっては

「アンタッチャブル」なんでしょう。それがわからないと世界がこれからどうなるか予測できないのに。

岩田　今回のコロナは、アメリカの国内問題も曝(さら)け出していますよね。

内田　そうですね。無保険者が3000万人近くいること、貧困層はろくな治療がうけられないこと、感染リスクにしても失業リスクにしても、歴然とした人種差別があること、そういった「アメリカの暗部」が可視化された。

前にも言いましたけれど、アメリカが感染症をきちんと制御しようとしたら、「全住民が等しく良質な医療を受けられる体制」を整備するしかない。そのためには国民皆保険や場合によってはベーシック・インカム制度を導入するしかない。民主党左派からはもうそういう政策提言が出てきていますし、経済誌を読んでも、ベーシック・インカムの可否についての議論が始まっている。

でも、依然としてトランプ支持層をコアとする国民の半分近くはそういう「社会主義的な政策には絶対反対」という立場にいる。「アメリカはどうあるべきか」という問題で、国民が二分してしまった。僕が知る限り、個別的な政策ではなく、**国のかたちはどうあるべきかについて、アメリカの国論がここまで分裂したことは過去になかった**ように思います。

岩田　州によっては、市民への現金給付といったコロナ対策をしているところがありますよね、ベーシック・インカムみたいな形で。これを聞いてふと思うのは、新たな南北問題の懸念というか、アメリカが一つの国として今後も継続していくかどうかに疑問を感じてしまうんです。

ここ数年、アメリカでは明らかに分断が進んでいましたが、今回のコロナでますます地域ベースでの違いが鮮明になりました。つまり、これまでは絶対に許容されなかったようなソーシャリスティックなスタンスを強く採る州と、コロナの感染がいくら拡大しても「経済優先」の姿勢を崩さない州との違いがはっきりしてきています。

内田　これは確かに新しい南北問題だと思います。アメリカという国の活気は国内にメイン・カルチャーとは別にいきのいいカウンター・カルチャーを包摂していることに担保されていると僕は思っています。メインとカウンターの比率が7対3とか8対2ぐらいの比率のときは「いいあんばい」なんです。政治的にも、経済的にも、文化的にも、国内に対立葛藤を抱えていることが生産的な契機になる。でも、今みたいに6対4とか、場合によると5対5になると、これはもう「デッドロック」です。力が拮抗して、身動きできなくなる。ごりごりぶつかるだけで、新しいものが生まれなくなる。

岩田　もうまったく嚙み合わないというか、お互い妥協するとか話し合うといった余地すらなく、それぞれが別の道を行くという断固とした空気ですね……まったく今の状況がそうです。

内田　先日、ミシシッピ州の知事が、州旗のデザイン変更に同意しましたね。これまでミシシッピの州旗には南軍旗が織り込まれていた。それを削除することにした。当然、それに対して「どうして南部の象徴を否定するのだ」と旧南軍支持者たちから反発があった。南北戦争が終わって150年経っているのに、まだ南軍旗に郷愁を覚えている人がいて、取り扱いを間違えると暴力的な対立を引き起こす。

もちろんこれにはブラック・ライヴズ・マター問題やトランプ政権のパンデミック対策の拙劣さに対する怒りとか、いろいろな要素が混じっているとと思うんですけれども、根っこにあるのは南北戦争なんですよね。南北戦争は実は決着がついていない。だから、何かあると意匠を替えて、標語を替えて、甦ってくる。日本における戊辰戦争と同じです（笑）。

岩田　戊辰戦争の場合は僕みたいな島根県人のように、どっちにも興味がない無党派もいますけれど、アメリカは確かに、南と北にガッツリ分かれている印象がありますね（笑）。

僕がアメリカにいた90年代後半から２０００年初頭にかけてはまだそこまで激しくなかった気がします。フロリダに行ってもテキサスに行っても別にアウェー感はありませんでした。

でも、ここ数年のアメリカを見ていると、かなり嚙み合わないというか、地域ごとに話が全然合わないことが日常茶飯事になっています。ソーシャルメディアで発信しているアメリカ人たちも、まったく真っ二つ、真反対ですからね。お互いにもう異国の人たちみたいな印象すらありますが、あれは何なんですかね。まあ、日本でもそういう傾向は多少ありますけど、地域差ではないですよね、少なくとも日本は。

コロナウイルスの偶発性

内田 海外では、韓国、台湾のように感染を抑え込むことに成功した国もありますね。

岩田 そうですね。韓国もそうですし、中国もほぼほぼ抑えていますし、ニュージーランド、オーストラリア、タイ、ベトナム。

内田 ベトナムもそうでした。

岩田 シンガポールもけっこう抑えています。あと、ヨーロッパではアイスランドですね、成功しているのは。

内田 そういった国々も、第2波を起こさないために、これからやはり鎖国的にふるまっていくんでしょうか。

岩田　そうとも言えません。むしろ、旅行そのものは再開しようとしているみたいですね。例えばニュージーランドとかは「観光」というのがすごく大きな国の資源ですから。ただし、感染対策をほったらかして観光優先にするというのではなく、むしろ経済を回していくために感染対策を徹底的にやる、というスタンスです。6月までは海外からの渡航は完全に禁止されていたのが、少しずつ運行されるようになったそうです。感染対策はしっかりやりながら、観光も少しずつ戻していく。このあたりがアメリカやブラジル、そして一部の日本の方々と意見が異なるところですね。

日本はかなり、「自分たちは感染対策がうまくいっている」みたいなヘンな神話がこの半年でまかり通っていて、僕は非常に危険だと思っています。日本では、高齢者の療養施設などでの感染流行がとても少なかったという運の良さがあったんです。数少ない流行例が、じつは神戸であったんですけど。

内田　高齢者施設での感染は少なかったんですか。

岩田　非常に少なかったんです。それに比べて、アメリカはひどい状態でした。フロリダやワシントンのナーシングホームで次々に感染が起きて、かなりの方々が亡くなられています。同様に、フランスやドイツの高齢者施設でもクラスターが起きていました。日本でこうした高齢者の感染が多発しなかった理由は、単に「運が良かった」だけではないかと。ウイルス学的には、まだまだ根拠が見えていません。

ですが、**コロナウイルスはストカスティックなウイルスである**とは言えるんです。“確率的な”ウイルスである、という意味です。つまり、たいていの場合は何も起きないけれど、ある条件が揃うとドカンと問題が起きるという、ギャンブルのようなイメージです。サイコロに喩えて言えば、2個のサイコロを振り続けてゾロ目が出るとドンと患者さんが増えるという感じですね。

だから、一人から何十人もの感染が起きたりするんです。それはウイルスの特徴でもありますし、その人の特徴、つまりその一人の人間がどういう行動をとったかということでもあります。例えば、3密のようなところで感染しやすい条件が揃った場合に、ウイルスがその人を介してワッと広がる。要するに、偶発的なんです。

いっとき、感染者の実効再生産数についてよく報道されましたが、あれは連続的な概念でのシミュレーションなので、今回のコロナ感染については想定しきれない面があるんです。人間って気まぐれな生き物なので、ウイルスのキャラクターと偶然の行為が噛み合った場合、ドーンと感染者が増えたりすることがある。それが若者しかいないキャバクラなどで増えたら重症者は出ないかもしれませんが、高齢者が集う銀座のバーみたいな場所で増えたら、かなり深刻な結果になるでしょう。

日本の場合、その偶発的な事象がこれまでわりといい結果に落ち着いているので「ラッキー、ラッキー」で来ていますが、「日本の文化や生活習慣のせいで大丈夫なんだ、日本スゴイ」みたいなヘンな神話に変わるのが一番危険なんです。コロナウイルスの偶発的な要素をよくよく見込んだ対策が必要です。

内田　それは第2波に備えて、ということですね。

岩田　はい。第1波は明らかに準備不足だったので、医療現場もひどい目に遭いました。ですが、第2波はどこの自治体もそこそこ準備ができているので、ちゃんとできるはずです。

内田　それは防護服とか、人工呼吸器とかいうレベルで？

岩田　そうです。物と人については、第1波の教訓を活かせるはずです。日本はなぜか、物と人と仕組みというのをものすごく軽視して、根性だけでやらせようとする伝統があるでしょ？　「頑張ろう！」と。だけど、根性だけではとても太刀打ちできない、と医療現場の僕らは第1波でつくづくわかったので、第2波に備えてかなりの準備をしてきています。仕組みについては、まだまだですが。

でも、夏以後の政府の舵取りが「もっと経済を回せ」となると、危ういですね。それでも僕らは、「第2波とどう闘うか」という方法論はほぼわかっているので、それを粛々とやればいいだけと思っています。

内田　第2波のための粛々というのは、具体的にはどんなことですか。

岩田　基本的には、患者を見つけて、濃厚接触者を見つけて、検査して、隔離する、です。根本的な治療はできないので、それを延々と繰り返して感染者を減らす。**とにかく**

感染者を徹底的に減らすしかありません。

それでも減らなければ、今度はソーシャルディスタンスをとりましょう、家から出るのをやめましょう、ステイホームをしましょう、というように、とにかく「感染のチャンスをいかに減らすか」という戦法で感染者を減らしていく。感染者をちゃんと減らし続けていけば、第2波は来ないか、たとえ来たとしてもすぐに終わるでしょう。

しかし、「いやいや、経済をもっと回さなきゃ」みたいな同調圧力がそのとき起きてしまうと、「自粛しろとは何事だ」と怒りだす人が増えてしまい、収束不可能な状況に陥ってしまうかもしれません。

それにしてもコロナはですね、ものすごい「人間チェッカー」なんですよ。コロナの話題さえすれば、相手がどんな人物なのかとにかくわかるという（笑）。「穏やかな人だと思ってたのに、じつはこんなに凶暴な人だったのか」とか、「普段は昼行燈（ひるあんどん）みたいな人なのに、いざというときは頼りになるんだな」とか。職場でも家庭でもそう。「コロナは人間正体チェッカーだから」と、最近僕は言っているんです。

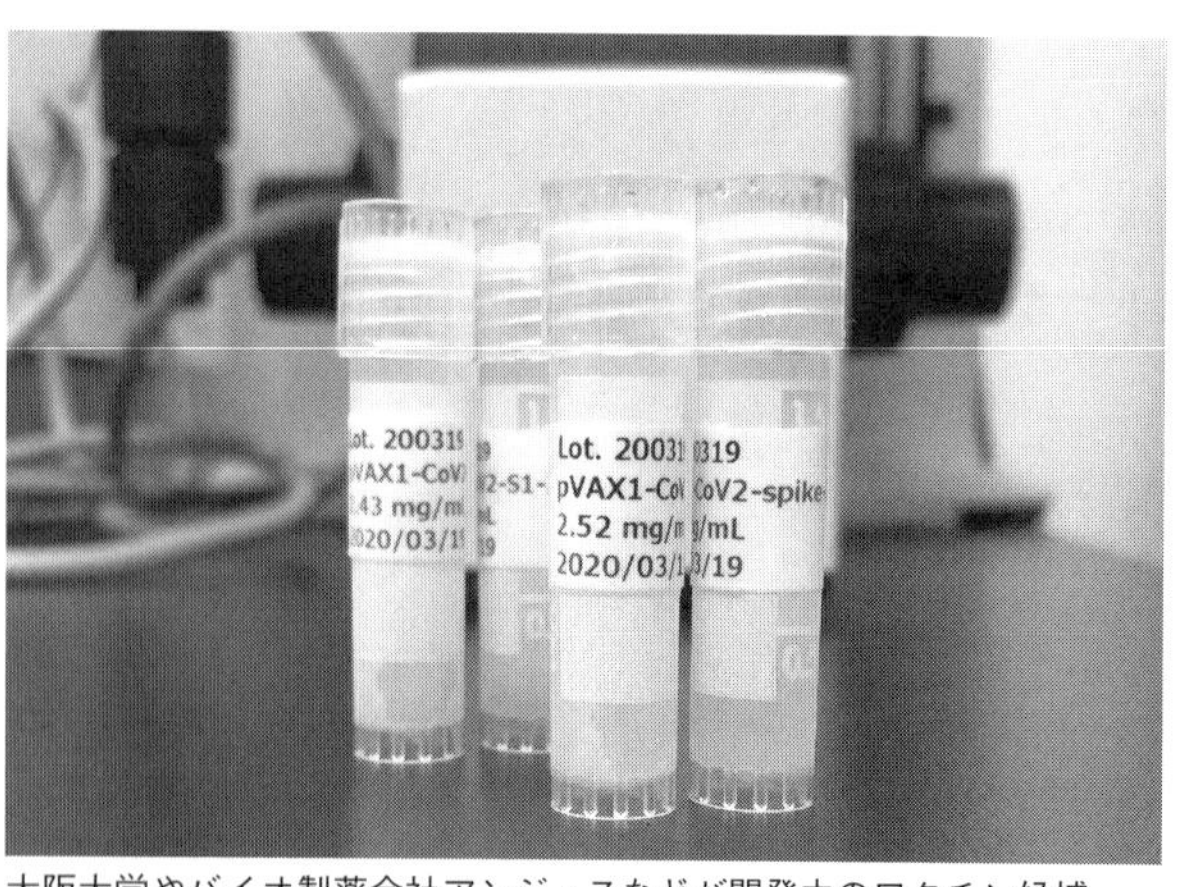

大阪大学やバイオ製薬会社アンジェスなどが開発中のワクチン候補。

ワクチン闘争はこのまま続く

内田　先月30日には、国内初のワクチン臨床試験開始も報道されましたね。ワクチン開発については、どう見ていますか。

岩田　僕はワクチンの専門家ではないし、ワクチンを自分で作ったこともないので確証はないんですけど、個人的には大きな期待はしていません。ワクチンはできるでしょうが、少なくとも決定打にはならないなと。多少のリスク緩和には役立つと思いますけど、多分その程度ですね。

ワクチン問題の焦点は、開発ばかりでなく、普及なんですね。今、「レムデシビル」というアメリカの製薬会社ギリアドが作っている薬が割と効果があるかもしれないと言われている唯一の薬なんですが、これをアメリカが全部囲い込むという説があるんです。

内田　本当にトランプは愚かですね。なんで人から尊敬されようと思わないんだろう。

岩田　それを称賛する支持層があるからでしょう。僕の理解では、アメリカは建国史上ずっと「アメリカ・ファースト」の国です。でも、建前では「そうではありません」と言って、これまでずっとオブラートに包んできた。「アメリカは世界のために頑張ってるんだ」とね。しかし、正直に「アメリカは自分たちのことしか考えていませんよ」って堂々と開き直ったのがトランプなのでしょう。そして、そのような自国中心主義を前面に打ち出した態度を支持する人々が、実は大勢いる。

だからワクチンに関しても、アメリカ人だけに流通させますよ、という噂が信憑性を持つ。トランプだとそのうえポロッと、「まずは白人だけに回す」って言いだしかねません。

内田　確かに。

岩田　ヨーロッパの国々も欧州圏内で治験をしたら、まずはヨーロッパの人で回してから他の地域に供給する、という順番でしょう。日本では大阪が大阪大学と組んで開発を進めてますが、じつは日本は、効果の検証能力が低いんです。これは、ワクチンを含めて医薬品全般について同じです。だから、安全性とか有効性というのが確実に検証されないままに普及、となる恐れがあります。

「アビガン」は富士フイルムが作った薬で新型コロナウイルスの治療薬としても期待されていますが、有効性や安全性の面で未だに正式には認可されていません。「カレトラ」というＨＩＶの治療薬もいいんじゃないかと最初は言われていましたが、これも結局臨床試験で効果が認められなかった。トランプ大統領がいっとき飲み続けていると言って有名になった抗マラリア薬の「ヒドロキシクロロキン」と抗生物質の「アジスロマイシン」も、データの捏造（ねつぞう）があることが発覚して論文そのものが撤回されました。

内田　あらあら……。

岩田　これは、あるデータ管理会社が、データを全部改ざんしていたという恐るべき事実が明らかになったんです。こうして今や、コロナの治療薬や臨床試験の現場は混乱を極めているというのが実情です。

内田　そうなんですか。

岩田　そんな渦中で、日本でどこまでワクチンの堅牢なデータを出せるかというのが課題です。百歩譲って、そこそこ効果的なワクチンができましたとなったときに、次の問題は「じゃあ、誰に打つの？」ということです。重症化のリスクが高いのは高齢者ですが、感染が広がりやすいのは若者です。そしてほとんどリスクもないし、感染も広げていないのは子どもたちなんですね。そんななかで、誰に優先順位をつけて最初に接種するかという問題は、世代間でめちゃめちゃ揉めると思います。何が正しいというのはないんですけど、多分揉めると思います。

内田　揉めるかなあ。子どもからでしょ、やっぱり。

岩田　うーん、子どもは多分、後回しにしたほうがいいですね、本当は。

内田　そうなんですか。

岩田　なぜかと言えば、子どもは感染リスクが低くて、重症化リスクも低いからです。だから、感染の広がりを防ぐのだったら若者にまず打て、となるはずです。だけど、死亡者を減らしたいのだったら高齢者に打て、という話もあります。まあ、これはタイミングにもよるので、ちょっと一概には言えませんが。どちらにしてもこれは、仮にワクチンができたら、という前提での話です。ワクチンができない可能性も十分あります。

内田　世界中で全力で取り組んでいても、できないってことですか。

岩田　これまでにも、あらゆる病気についていろんなワクチンが開発されてきていますが、実用化されないワクチンというのはけっこう多いんです。典型的なのは、エイズのワクチンです。これなんかもう35年ぐらい研究してますけど、いまだに実用化されていません。

内田　確かに、そうですね。

岩田　それから、インフルエンザのワクチンのように、完成はしていてもそれほど劇的に効くわけでもない、というものもあります。ですから、ジェンナーの開発した天然痘のワクチンのような、病原体を絶滅させるほど効果のあるものは、世の中に在る感染症の数から考えると、じつは稀有な存在なんです。

内田　ドラマチックに効くワクチンというのは、少数派なんですね。

岩田　そうなんです。ですから僕は、コロナとワクチンの闘いは、しばらくこのまま長期戦で続いていくと思っています。

外交カードとしてのワクチン

内田　だとすれば、ワクチンが外交カードとして使われる可能性は十分にあります。どこかの国がワクチンや治療薬を開発した場合、分配してもらうために、友好的なふりをするということはあるでしょう。仮に中国が開発に成功した場合は、外交カードとして非常に戦略的に使ってくる可能性がありますね。

岩田　中国は、アフリカ諸国にそれを回すと言っていますね。これも外交カードとしてなんでしょうね。

内田　そうですね。一帯一路勢力圏に優先的に分配すると思います。同じように、フランスが開発したらマグレブに、ドイツが開発したらトルコに、というようにそれぞれの国が自国と行き来の多い地域の感染をまず抑制しようとする。

となると、日本の場合、一体どこが日本を優先的に配慮してくれるのか、ということになりますよね。アメリカは「アメリカ・ファースト」だから自国民の次は自由貿易協定を結んでいるカナダとメキシコ。それからイギリス、オーストラリア、ニュージーランドといったアングロサクソン圏。そのあとにようやく日本という順序でしょう。

岩田　となると、日本が期待できるのは中国ですかね（笑）。

内田　最初に日本にワクチン供与を申し出たのが中国だった……ということはおおいにあり得ると思います。現在の中国は香港の件で国際的孤立を深めていますが、もしもワクチンカードを切り出してきたら、一気に情勢は変わるでしょう。どの国だってワクチンが欲しいから、もう中国に対しては干渉しないという態度に切り替えるんじゃないか

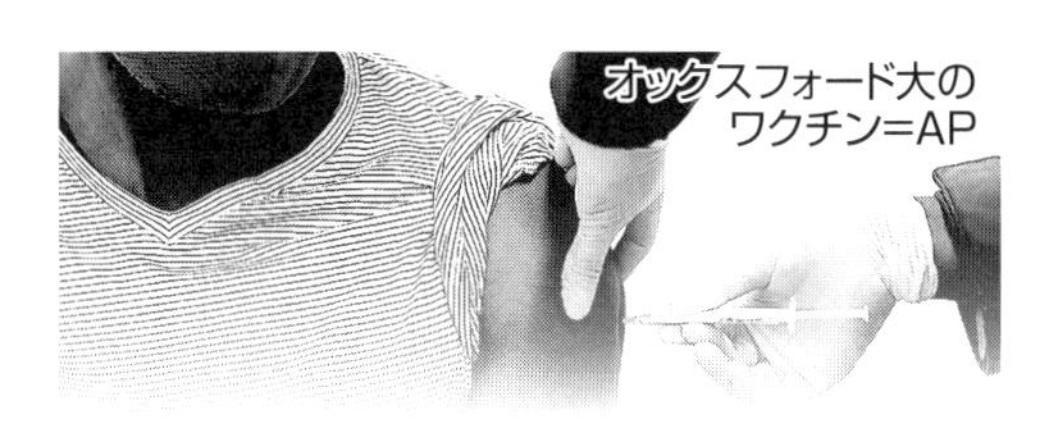
オックスフォード大の
ワクチン=AP

主なワクチンの開発段階

英国
オックスフォード大/アストラゼネカ
【ウイルスベクター（運び屋）】
臨床試験で最終段階の第3相試験中。
9月に供給開始をめざす

中国
シノバック【不活化ウイルス】
第3相試験を開始の報道

中国
カンシノ・バイオロジクスなど
【ウイルスベクター（運び屋）】
第2相試験中。
人民解放軍での限定使用を承認

米国
モデルナ【RNA】
第3相試験を7月に開始

米国
イノビオ・ファーマシューティカルズ
【DNA】
第2〜3相試験を今夏に開始

中国
武漢生物製品研究所
【不活化ウイルス】
第3相試験を開始の報道

WHOの資料や報道から

出典：朝日新聞（2020年７月20日付）

な。だって、ワクチンさえあれば一気に経済を再開できるわけですからね。中国にしてみれば、軍事力で周辺国を威圧するより、医療支援カードのほうがはるかに費用対効果が高い。「ワクチンが欲しかったら……」と言って、いろいろな外交的譲歩を引き出せる。だから、**今中国は国運を賭けてワクチン開発を進めている**と思いますよ。

岩田　中国の開発力は、圧倒的に日本より上ですからね。

内田　武漢の市中感染のときに、10日間ぐらいで千床の病院を二つ作りましたからね。

岩田　超パワフルですよ、本当に。日本が国内の大学運営交付金をどんどん削減させて、研究者からパワーを削いでいくのに対して、中国は臨床医学的な研究にどんどんお金をかけている。医学論文数も圧倒的に増えましたし、世界大学ランキングでも、アジアでは香港も含めて中国がトップレベルです。シンガポール、中国、次いで韓国。で、日本の大学はかなり取り残されています。

内田　今みたいな局面になると、日頃の日本政府の教育に対する冷遇の結果が見えてくるんですよ。

岩田　ワクチンの開発には、大学と産業との抱き合わせのパワーや、大学独自の開発パワーが下支えとして影響しますからね。

皮肉なことに、コロナはどちらかと言えば、独裁国家のほうが対処しやすいんですよ。ＧＰＳシステムのような移動監視システムや、半強制的な隔離やロックダウンといった強制力が有効なわけで、そうしたことを躊躇なくできるというのは独裁国家、もしくは半独裁国家がまさに得意とするところです。臨床データを集めたりするのも、何百人という人を一気に被験者にできる仕組みがまずは必要ですから。

内田　さっき岩田先生が言われていた、仕組みの問題ですね。

岩田　日本で被験者を集める場合は、まずは同意書をいただいて参加者を募ってと、いつまで経っても目標人数がなかなか集まらないという事態も起こり得ます。民主的国家であればあるほど、臨床データは集まりにくいものです。それが中国では、「やるぞ！」と言ったらすぐに集められるわけですよね。まあ、善し悪しですが、独裁的な流れの国家のほうが、コロナの場合は相対的にパワフルな感じがありますね。

内田　そうですね。あとは韓国、台湾といった臨戦態勢の国ですよね。どちらも、いつ軍事侵略があるかわからないという前提で国家体制が制度設計されている。常在戦場ですから、感染症の場合でも「仮想敵国から生物兵器の攻撃を受けた場合」という軍事的なシミュレーションに準じた動きができる。国民たちも「平時から非常時への意識の切り替え」がすばやくできる。

日本人の場合は、国難的状況に対して、ライフスタイルを切り替えるということに慣れていない。「正常性バイアス」が強い国民性だと思います。だから、感染症に対応するときに、政治家たちが「この状況からどういう政治的浮揚力を引き出すか？」ということをまず考えるというようなことが起きる。平時の損得勘定を平気で、非常時局面に適用しようとする。上に立つ人間が「どうやって感染拡大の責任を回避し、感染抑制の手柄を独り占めにするか」ということばかり考えている。見苦しい限りです。**こういう場面で民主主義の成熟度が露呈する**んだと思います。

国家以外のプレイヤーたち

岩田　一方で僕が注目しているのは、国家以外のファクターなんです。例えば、ワクチンや感染対策全体に関して言えば、この数十年来一番パワフルな影響を与えているのは、じつはビル・ゲイツ財団なんです。

内田　へえ。どうしてです。

岩田　ビル・ゲイツ財団は、アフリカやアジアにエイズの治療薬や感染症のワクチンをかなり提供していて、グローバルな健康問題についてパワフルに機能しています。

今、最も僕が注目しているのは、GAFA（Google、Apple、Facebook、Amazon）です。コロナ不況のなかでも、例えばAmazonは独り勝ちして大儲けしているわけです。こうした国家以外の要素というものが、コロナ対策にどこまでコミットしてくるのか、しないのか、関心があります。

内田　Amazonはしないんじゃないかな（笑）。

岩田　Ａｍａｚｏｎはしないかもしれないけど（笑）。

内田　ほかはしそうですか。

岩田　Ｆａｃｅｂｏｏｋはするかもしれないですね。コロナのために「一肌脱ぐぞ」と言いだすかもしれない。それから、Ｇｏｏｇｌｅはやる可能性があります。Ｇｏｏｇｌｅのノウハウを使って、例えば感染把握や感染拡大監視システムをＧｏｏｇｌｅが作るぞといったら、けっこういいものができるかもしれません。

あとは、やはりゲイツ財団ですかね。あのあたりのプレイヤーがどういった行動をとるかというのは注目すべきところです。今のところはっきりとした動きは出ていませんが、世界の秩序や経済が脅かされ続ければ、彼らだって自分たちの存在が当然危うくなるわけです。うーん、でも、みんながリモートワークになった影響で、コンピュータ業界は今とても儲かっているらしいから、はっきりした動向は読めませんが。

内田　国の危機で国以外の存在価値が高まるのは、ある意味自然なことですね。

岩田　全世界的にコロナ対策ではどの国もアタマを痛めていますから、国以外のスキームがワッと出てくるというのは予測されていたことでもあるんですよね。とにかく僕は、ビル・ゲイツは何かやると思っています。日本だと、ソフトバンクの孫さんですかね、あのあたりから何か新しい動きが生まれるのではないかと、僕は見ています。

内田　そうですね。今度のように国民国家が国境を閉じて、「鎖国」状態になって身動きならないときにこそ、非国家的なアクターが独自の存在感を示すようになるというのは、コロナ前の世界ではなかなか考えられないことでしたからね。これからの展開に注目することにします。

おわりに

みなさん、こんにちは。内田樹です。最後までお読みくださって、ありがとうございます。

本書は感染症の専門家であり、今回の新型コロナウイルスの感染拡大の中で一貫して医療のフロントラインに立ってこられた岩田健太郎先生に僕がお話をうかがいました。

岩田先生と僕はけっこう前からのお友だちです。岩田先生が神戸大学医学部に着任されてそれほど日が経っていない頃に、医学系の雑誌の企画で対談したのが最初です。

とにかく「頭の回転が速い人」だというのが最初お会いしたときの印象でした。それから何度か一緒にお仕事をしました。雑誌の対談の他、岩田先生が主催するシンポジウムや研修会に僕が呼ばれるというかたちでした。先生に凱風館においで頂いて、感染症についてお話し頂いたこともあります。

そのうちに、岩田先生は単に「頭の回転が速い人」というだけではなくて、複数のアイディアを並行処理できる「頭の容量の大きい人」だということがわかってきました。

ふつうは岩田先生くらいにシャープだと、ことの正否についてすぐに断言しそうな気がしますけれど、そうじゃないんです。少なくとも僕が相手の場合には、僕がどんな変てこなことを言い出しても、岩田先生は最後まで黙って聴いてくれます。いったんは「なるほど」と受け入れる。そして、それを吟味してから、追加の質問をする。その場では簡単にことの黒白の決着をつけない。

でも、これは臨床医としての基本的なマナーなんだと思います。

臨床の現場での第一次的情報は患者からの訴えです。でも、これはあまり当てになりません。患者が「ここが悪いです」と自己診断してくる説はあまり信用できません。「心臓が痛む」と言っている人が実は膵臓が悪かったり、「足の親指の骨が折れました」

と言っている人が痛風だったり（いずれも実話）。

でも、診断を始めるとき、臨床医には患者の愁訴しか手がかりがない。心電図をとり、X線をとり、「心臓に／親指の骨に異常ありません。あなたの症状は気のせいです。はい、さよなら」と追い返すわけにはゆかない。患者が自分の疾病について語る自己診断は間違っていても、間違いなく身体のどこかに不調はあるはずです。ですから、臨床医のたいせつな仕事は、患者に「非現実的な愁訴」を語らせている「現実的な原因」を見出すことです。

岩田先生は今回のような問題についても、終始臨床医的なマナーで対応していたのだと思います。コロナについては、実にいろいろな「非現実的な言明」がなされました。でも、岩田先生はそれを「間違い」と一刀両断にすることを自制して、そのような「非現実的な言明」が生成してくる「現実的な文脈」を探り当てようとする。こういうのをその語の正しい意味で「科学的」な態度だと呼ぶのだと僕は思います。

ここで論じられた2020年のコロナウイルスについての一連の出来事は少し時間が経ってしまったら「昔の話」として忘れられてしまうと思います。ですから、本書もあと半年もしたら速報性・時事性という意味ではあまり価値のない書物になる可能性があります。でも、「科学的な態度」がどういうものかを知るための資料としては時間が経ってもその価値を減じることはないと思います。

ただ、それは岩田先生についての話です。この本の中で僕がしゃべっていることはそもそも医学的な知見をほとんど含んでいません。今回の出来事に触発されて、素人が思いついたことを思いつくままに語っているだけです。でも、時事性が乏しい代わりに、「人事一般」についての知見を多少なりとも含んでいる可能性がある（希望的観測）。

今回のコロナ・パンデミックでは、関連する書籍がたくさん出版されました。これからも出版されると思います。僕が願っているのは、本書がこの出来事に対処するときに役立ついくつかの実践的知見を含んでいることだけではなく、パンデミックが終息した後もできるだけ長くリーダブルであって、時々書棚から取り出してぱらぱらと気に入った頁を読んでもらえるような本であることです。そういう本ができたらよいのですが。

あちこちにとっちらかった話をきりりとまとめてくれたライターの大越裕さん、マイペースな対談者二人に手際よく仕事をさせてくれた朝日新聞出版の大場葉子さんのご尽力にこの場を借りてお礼を申し上げます。

そして、最後になりましたが、岩田先生、ありがとうございました。とても楽しく有意義な時間を過ごすことができました。次はもっと楽しい話題でお会いしたいですね。

2020年8月

内田　樹

内田　樹　うちだ・たつる
1950年、東京都生まれ。神戸女学院大学名誉教授。東京大学文学部仏文科卒業。東京都立大学大学院人文科学研究科博士課程中退。『私家版・ユダヤ文化論』(文春新書)で第６回小林秀雄賞、『日本辺境論』で第３回新書大賞、執筆活動全般について第３回伊丹十三賞を受賞。2011年に哲学と武道研究のための私塾「凱風館」を開設。その他の主著に、『ためらいの倫理学』(角川文庫)、『街場の憂国論』(文春文庫)、『常識的で何か問題でも？——反文学的時代のマインドセット』(朝日新書)など多数。

岩田健太郎　いわた・けんたろう
1971年、島根県生まれ。神戸大学大学院医学研究科教授。島根医科大学(現・島根大学)卒業。沖縄県立中部病院、ニューヨーク市セントルークス・ルーズベルト病院の研修医を経て同市ベス・イスラエル・メディカルセンター感染医フェローとなる。2003年、北京インターナショナルSOSクリニックで勤務。04年に帰国し、千葉県の亀田総合病院を経て、08年より神戸大学。著書に、『「感染症パニック」を防げ！　リスク・コミュニケーション入門』『ぼくが見つけた　いじめを克服する方法——日本の空気、体質を変える』(共に光文社新書)、『新型コロナウイルスの真実』(ベスト新書)、『感染症は実在しない』(インターナショナル新書)など多数。

朝日新書
783

コロナと生(い)きる

2020年9月30日第1刷発行

著　者　内田 樹
岩田健太郎

発行者　三宮博信

カバーデザイン　アンスガー・フォルマー　田嶋佳子

印刷所　凸版印刷株式会社

発行所　朝日新聞出版
〒104-8011　東京都中央区築地5-3-2
電話　03-5541-8832（編集）
03-5540-7793（販売）

Published in Japan by Asahi Shimbun Publications Inc.
ISBN 978-4-02-295089-5
定価はカバーに表示してあります。

落丁・乱丁の場合は弊社業務部(電話03-5540-7800)へご連絡ください。
送料弊社負担にてお取り替えいたします。

朝日新書

人生に必要な知恵はすべてホンから学んだ

草刈正雄

「好きな本は何？」と聞かれたら、「台本（ホン）です」と答える僕。この歳になって、気づきました。ホンとは、生きる知恵と人生の意味を教えてくれる言葉の宝庫だと。『真田丸』『なつぞら』をはじめ代表作の名台詞と共に半生を語る本音の独白。

渋沢栄一と勝海舟
幕末・明治がわかる！ 慶喜をめぐる二人の暗闘

安藤優一郎

「勝さんに小僧っ子扱いされた――」。朝敵となった徳川慶喜に生涯忠誠を尽くした渋沢栄一と、慶喜に30年間も「謹慎」を強いた勝海舟。共に幕臣だった二人の対立を描き、知られざる維新・明治史を解明する。西郷、大隈など、著名人も多数登場。

教養としての投資入門

ミアン・サミ

本書は、投資をすることに躊躇していた人が抱えている不安を一気に吹きとばすほどの衝撃を与えるだろう。「自動投資」「楽しむ投資」「教養投資」の観点から、資産10億円を構築した筆者が、学術的な知見やデータに基づき、あなたに合った投資法を伝授。

新型コロナ制圧への道

大岩ゆり

爆発的感染拡大に全世界が戦慄し、大混乱が続く。人類はこの「戦争」に勝てるのか？ 第2波、第3波は？ 元朝日新聞記者が科学・医療の最前線を徹底取材。終息へのシナリオと課題を明らかにする。

危機の正体
コロナ時代を生き抜く技法

佐藤 優

「新しい日常」では幸せになれない。ニューノーマルは人間に何をもたらすのかを歴史的・思想的に分析。密集と接触を極力減らす〈反人間的〉時代をどう生き抜くか。国家機能強化に飲み込まれないためのサバイバル術を伝授する。

コロナ後の世界を語る
現代の知性たちの視線

養老孟司 ほか

22人の論客が示すアフターコロナへの針路！ 新型コロナウイルスは多くの命と日常を奪った。第2波の懸念も高まり、感染への恐怖が消えない中、私たちは大きく変容する世界とどう向き合えばよいのか。現代の知性の知見を提示する。

朝日新書

たのしい知識
ぼくらの天皇(憲法)・汝の隣人・コロナの時代

高橋源一郎

きちんと考え、きちんと生きるために――。明仁天皇のビデオメッセージと憲法9条の秘密、韓国・朝鮮への旅、宗主国と植民地の小説。ウイルスの歴史を、カミュ、スペイン風邪に遡り、たどりつく終焉、忘却、記憶、ことば。これは生きのびるための「教科書」だ。

コロナと生きる

内田　樹
岩田健太郎

人と「ずれる」ことこそ、これからのイノベーティブな生き方だ！「コロナウイルスは現代社会の弱点を突く〝21世紀の鬼っ子〟」という著者ふたりが、強まる一方の同調圧力や評価主義から逃れてゆたかに生きる術を説く。災厄を奇貨として自分を見つめ直すサバイバル指南書。

キリギリスの年金

明石順平

アリのように働いても、老後を公的年金だけで過ごすことは絶対不可能。円安インフレ、低賃金・長時間労働、人口減少……複合的な要素が絡み合う「年金制度」の未来とは。さらに、コロナ禍でますます悪化する日本財政の末路を豊富なデータをもとに徹底検証。

大阪から日本は変わる
中央集権打破への突破口

吉村洋文
松井一郎
上山信一

停滞と衰退の象徴だった大阪はなぜ蘇ったか。経済や生活指標の大幅改善、幼稚園から高校までの教育無償化、地下鉄民営化などの改革はいかに実現したか。「大阪モデル」をはじめ、新型コロナで国に先行して実効性ある施策を打てた理由は。10年余の改革を総括する。